Amos Daragon,
voyage aux Enfers

Dans la série Amos Daragon :

Amos Daragon, porteur de masques, roman, 2003.
Amos Daragon, la clé de Braha, roman, 2003.
Amos Daragon, le crépuscule des dieux, roman, 2003.
Amos Daragon, la malédiction de Freyja, roman, 2003.
Amos Daragon, la tour d'El-Bab, roman, 2003.
Amos Daragon, la colère d'Enki, roman, 2004.
Amos Daragon, Al-Qatrum, les territoires de l'ombre, hors série, 2004.
Amos Daragon, la cité de Pégase, roman, 2005.
Amos Daragon, la toison d'or, roman, 2005.
Amos Daragon, la grande croisade, roman, 2005.
Amos Daragon, porteur de masques, manga, 2005.
Amos Daragon, le masque de l'éther, roman, 2006.
Amos Daragon, la fin des dieux, roman, 2006.
Amos Daragon, la clé de Braha, manga, 2006.

Romans pour adultes chez le même éditeur :

Pourquoi j'ai tué mon père, roman, 2002.
Marmotte, roman, réédition 2002 ; première édition, 1998, Éditions des Glanures.
Mon frère de la planète des fruits, roman, 2001.

BRYAN PERRO

Amos Daragon, voyage aux Enfers

LES INTOUCHABLES

Les Éditions des Intouchables bénéficient du soutien financier de la SODEC, du Programme de crédits d'impôt du gouvernement du Québec et sont inscrites au Programme de subvention globale du Conseil des Arts du Canada.

Nous reconnaissons l'aide financière du gouvernement du Canada par l'entremise du Programme d'aide au développement de l'industrie de l'édition (PADIÉ) pour nos activités d'édition.

LES ÉDITIONS DES INTOUCHABLES
816, rue Rachel Est
Montréal, Québec
H2J 2H6
Téléphone : (514) 526-0770
Télécopieur : (514) 529-7780
www.lesintouchables.com

DISTRIBUTION : PROLOGUE
1650, boulevard Lionel-Bertrand
Boisbriand, Québec
J7H 1N7
Téléphone : (450) 434-0306
Télécopieur : (450) 434-2627

Impression : Transcontinental
Infographie et maquette de la couverture : Benoît Desroches
Illustration de la couverture : Jacques Lamontagne
Logo : François Vaillancourt

Dépôt légal : 2004
Bibliothèque et Archives nationales du Québec
Bibliothèque nationale du Canada

ISBN 2-89549-145-3

« *À Chemil Lapson,*
le béorite manquant… »

Prologue

Les Enfers sont des plans d'existence souterrains où se retrouvent les âmes des morts punis pour les mauvaises actions commises de leur vivant. Ces lieux de souffrances et de châtiments, situés aux extrêmes confins du monde, sont bordés par les territoires de la nuit. Répartis sur neuf échelons, les Enfers sont le domaine des démons, des succubes et des incubes, des diables et des esprits maudits. Il y a des dizaines de façons d'accéder à son premier niveau, mais aucune d'en sortir. Le douloureux voyage ne fait alors que commencer…

On raconte que les Enfers, royaume du dieu Hadès et de sa femme Proserpine, sont la source de cinq cours d'eau concentriques : l'Achéron, fleuve du chagrin ; le Styx, affluent de la haine ; le Phlégéthon, rivière de flammes ; le Cocyte, torrent des lamentations ; et le Léthé, ruisseau de l'oubli. Selon les dires des prêtres et des prédicateurs, c'est en franchissant ces cinq obstacles qu'il est possible de parvenir tout en bas, au dernier niveau de l'enfer, et de pénétrer dans la cité infernale. Cette ville maudite, incarnation même du mal engendré par le fanatisme religieux, le vice et la folie, change inévitablement le plus sain des hommes en une bête furieuse avide de violence. Elle convertit toute forme de bonté ou de charité, d'amour ou de compassion en un fiel de haine pure capable de faire naître le plus profond désespoir.

Les âmes qui sont jugées à Braha avant d'être condamnées aux Enfers demeurent maudites pour l'éternité et, sauf exception, ne retrouvent jamais la paix. Ceux qui y arrivent sans jugement, par des voies de contournement magiques, par une punition divine ou encore en forçant les portes du royaume d'Hadès, s'exposent à de plus vifs châtiments et cèdent rapidement à la démence.

De vieux ouvrages de contes et de légendes font mention de plusieurs grands héros qui, chacun à leur époque, auraient réussi à traverser les Enfers et à revenir sur terre afin d'y raconter leurs mésaventures.

Mais chacun sait bien que l'on ne doit pas croire tout ce qui est écrit dans les livres…

1

Le grand hall de l'angoisse

Amos reprit conscience, face contre terre, en poussant un hurlement de douleur. Sa jambe droite, coincée plus tôt sous les débris d'El-Bab, le faisait terriblement souffrir. Il avait au moins deux fractures du tibia et certainement plusieurs muscles déchirés dans la cuisse. De plus, son genou était bloqué, très enflé et sa cheville était en compote. Cette jambe n'était plus qu'un morceau de viande sans vie.

Le garçon concentra ses forces et se tourna sur le dos. Ce mouvement lui arracha un autre cri. Épuisé par l'effort, il essaya en vain de trouver une position qui ne le fasse pas trop souffrir. Il lui sembla que tout son corps avait été piétiné par un troupeau de chevaux galopant à vive allure. Ses derniers souvenirs remontaient à la grande tour et à sa rencontre avec Enki. Amos avait perdu conscience au moment où la pièce d'Emmerkar s'effondrait sur lui et il se croyait toujours prisonnier des décombres. En réalité, il était maintenant bien loin du désert des Sumériens…

– À l'aide! geignit le porteur de masques. Aidez-moi! Au secours… Je… je ne peux plus bouger… J'ai trop mal!

Sa voix fut avalée par les ténèbres environnantes… Personne ne répondit à l'appel.

– S'il vous plaît! se lamenta Amos. Ma jambe est cassée… et… et j'ai de la difficulté à respirer! Je suis… S'il vous plaît! Béorf! Lolya! Médousa! Mais où êtes-vous donc?

Encore une fois, un lourd silence enveloppa ses mots.

Un malaise obscur envahit alors l'âme du porteur de masques, le saisissant de façon inattendue. Il ressentit une forte impression de vide, d'abandon. Un chagrin infini le chavira et provoqua de graves difficultés respiratoires accompagnées de palpitations, d'étourdissements, d'une extrême faiblesse et de nausées. Le garçon pleura longtemps sans pouvoir se retenir, puis, à bout de forces, il glissa dans le sommeil.

Combien de jours s'écoulèrent avant qu'Amos ne se reprenne en main et qu'il ne recouvre ses esprits? Personne ne pourrait exactement le dire. Une forte fièvre l'avait fait délirer et, mi-conscient, le garçon avait tenté plusieurs fois de s'amputer la jambe avec ses pouvoirs. Ses tentatives avaient évidemment aggravé son état et rendu la douleur encore plus insupportable. Durant ses crises de folie, Amos avait imploré les dieux de venir le chercher et supplié qu'on l'achève. Il avait plusieurs fois insulté la Dame blanche en lui hurlant qu'elle était LA responsable de sa condition et que c'était SA faute à ELLE s'il avait mal aujourd'hui! Ras le bol de l'aventure et de l'équilibre du monde! Ras le bol des dieux et de leurs manigances! Ras le bol des morts et de la souffrance! Dans ses divagations, Amos avait aussi ordonné à la Dame blanche de lui retirer sa mission. C'en était trop! TROP! TROP ET TROP!

Le supplice avait duré ainsi de longues journées qui lui avaient paru des années entières.

C'est alors, au moment où son moral était au plus bas, alors que le poids de la solitude écrasait dans son cœur le moindre espoir et dans son âme la plus petite parcelle de confiance, alors qu'il avait souhaité mourir à plusieurs reprises et que personne n'avait répondu à son appel, alors même qu'aucune solution ne se présentait à lui et que, pour la première fois de sa vie, Amos se retrouvait complètement démuni, c'est à ce moment qu'il entendit un chuchotement au creux de son oreille :

– Ici, on ne meurt pas, mon garçon. Ici, on souffre…

– Qui êtes-vous ? prononça péniblement le garçon. Aidez-moi, je vous en prie !

– Je ne suis personne… et je n'aide personne, lui répondit la voix. Chacun doit porter seul ses propres souffrances et son propre mal de vivre. C'est ainsi et je ne peux rien y faire…

– Mais où êtes-vous ? Je n'arrive pas à vous voir, il fait trop noir !

– La lumière ne pénètre pas ici…, expliqua l'invisible présence en ricanant. Dans ce lieu, plus rien n'a d'importance, car plus personne n'obtient ce qu'il demande. Ici, dans ce monde, il n'est plus possible de trouver l'espoir. Nous vivons tous, mes frères et moi, dans l'impuissance et le découragement. Je te souhaite la bienvenue parmi nous !

– Vous êtes donc plusieurs ici ? demanda Amos tout en essayant de percer l'obscurité autour de lui. Mais où êtes-vous ? Je ne vois rien !

– Nous sommes des milliers…, répondit encore la voix. Des millions peut-être ! Et bientôt, tu te joindras à nous…

– Que… que voulez-vous dire ? s'inquiéta tout à coup le porteur de masques.

— Tu comprendras bientôt que tu es maintenant seul et oublié des tiens. Tu verras qu'ici, dans ce lieu, la révolte et la rage ne servent à rien… Tu comprendras que ton avenir réside dans ta capacité à accepter la fatalité. Mes frères de l'obscur et moi sommes l'extrême limite du futur et le point central de toute l'amertume du monde. Tu es, mon jeune ami, dans le grand hall de l'angoisse! Tu existeras, aujourd'hui et pour toujours, dans l'anti-chambre des Enfers!

Des rires lugubres explosèrent tout autour d'Amos. Quand ils se turent, la voix poursuivit:

— Nous allons faire de notre mieux pour que ta souffrance s'allonge et que ton âme se consume dans la douleur! Nous sommes le fiel de la vie et la source de la peur, nous sommes la désillusion et la désolation, nous sommes… tes nouveaux amis! ha! ha! ha! ha!

Troublé, Amos prit quelques secondes pour réfléchir. Il se rappela alors l'un des enseignements de Sartigan qui disait qu'en tout homme résident deux êtres, l'un éveillé dans les ténèbres et l'autre endormi dans la lumière. Ces sages paroles résonnèrent en lui comme une bouée de sauvetage à saisir!

— Tu ne dis rien? demanda la voix, amusée. J'espère que nous ne t'avons pas trop effrayé?

L'hilarité générale reprit de plus belle.

Amos essaya d'oublier ces voix ténébreuses et se concentra sur les souvenirs heureux de sa jeune existence. Il revit la résurrection de Médousa sur l'île de Freyja et ressentit de nouveau la joie de ce magnifique moment. La scène fut ensuite remplacée par une autre : Béorf en train de s'empiffrer avec les autres béorites dans la taverne d'Upsgran. Quel spectacle et quel entrain ils avaient ! Puis c'est le sourire de Lolya qui vint tendrement lui réchauffer le cœur.

– Je sais ce que tu tentes de faire…, dit la voix. Mais tu ne nous chasseras pas… Le bonheur n'existe plus pour toi et tes souvenirs appartiennent au passé… Nous sommes ton avenir… ton seul avenir…

Sans se soucier des présences négatives qui l'entouraient, le garçon s'amusa à revoir en pensée le tour qu'il avait joué au seigneur Édonf et pensa également aux fantastiques histoires de Junos. Il gagna encore du courage en se remémorant la bataille des chevaliers de Berrion contre Karmakas et le basilic. Il songea aussi à sa longue randonnée en ski, avec Béorf, en direction de la tanière du dragon à Ramusberget. Ensuite, ce fut naturellement Maelström qui occupa ses pensées et…

– Cesse immédiatement ce petit jeu! ordonna la sinistre voix. Tu perds du temps et cela ne nous amuse plus. Tu es seul maintenant et tu es condamné à l'angoisse éternelle…

– Vous ne réussirez pas à m'avoir, affirma Amos, devenu plus confiant, j'ai réveillé l'espoir qui dormait en moi. J'ordonne que la lumière soit!

Et la lumière fut! Grâce à ses pouvoirs de porteur de masques, une flamme apparut immédiatement dans sa main et révéla des centaines de visages livides et vaporeux autour de lui. Le halo lumineux maintint les présences négatives à bonne distance. Libéré de l'influence de ces êtres des ténèbres, Amos commença à mieux respirer, retrouvant encore du courage. Il s'amusa même de la situation pourtant très grave!

– Mais qu'est-ce qui te fait donc rire, stupide garçon? demanda une voix plus éloignée. Regarde donc tes blessures! La gangrène te fera pourrir sur place!

– Je me disais que, justement, cela me faisait une belle jambe! répliqua Amos en s'esclaffant. Je crois bien que Béorf, vu ma situation, la trouverait bien bonne aussi!

– Mais comment peux-tu rire dans un pareil moment? fulmina la voix.

– Parce que tout le monde sait qu'il est plus plaisant de rire que de pleurer! s'exclama le garçon. C'est une évidence que vous semblez avoir oubliée !

Alimentée par les sentiments positifs d'Amos, la magie du masque de la terre s'activa et fit sécréter des blessures du garçon une glaise qui vint entièrement couvrir sa jambe. La douleur disparut alors et le blessé poussa un long soupir de soulagement. L'argile durcit pour former une couche protectrice semblable à l'écorce d'un arbre.

– Eh bien ! jubila le garçon, je crois que ma condition s'améliore lentement…

Encouragé et soulagé, Amos réussit avec précaution à se relever et à faire quelques pas. Sa jambe ne lui faisait plus mal, mais elle était très difficile à mouvoir. C'est en boitant que le porteur de masques se déplaça pour essayer de deviner la configuration des lieux. Malgré sa flamme magique, il n'y voyait pas grand-chose. On aurait dit que les ténèbres aspiraient la lumière. L'endroit semblait ne posséder ni murs ni plafonds et le sol était couvert d'une épaisse couche de terre noire d'où s'élevait une vague odeur de pourriture.

– Ne cherche pas, reprit une autre voix derrière lui. Il n'y a rien ici… Nous sommes dans un vide infini ! Il n'y a pas d'entrée ni de sortie. Ce lieu est tout et rien à la fois, il existe et il n'existe pas. Nous sommes des…

– Fermez-la! lança Amos, exaspéré. Vous, vous ne trouvez rien parce que vous avez arrêté de chercher depuis trop longtemps! L'espoir, c'est le premier pas vers la lumière.

– Oh! il y a bien une porte, mais…, hésita une grosse voix devant lui.

– Mais quoi? s'empressa de demander Amos. Où est-elle?

– À quelques enjambées derrière toi seulement…

Amos n'avait pas confiance en ces êtres des ténèbres et voulait éviter de tomber dans un quelconque piège. La voix n'avait pas menti! Derrière lui, il y avait bel et bien une lourde porte en fonte, habilement sculptée. Noire comme l'ébène, à peine visible dans l'obscurité, elle avalait la lumière comme une cheminée aspire la fumée d'un feu. Amos avait beau augmenter la puissance de sa flamme magique, il ne voyait pas mieux.

Le plus étrange avec cette porte, c'est qu'elle ne donnait sur rien. Elle était enserrée dans un cadre de pierre duquel on pouvait facilement faire le tour. Trois fois haute comme Amos et quatre fois plus large que le garçon, elle se tenait là, debout, au centre de nulle part. Ses ornements très stylisés rappelaient

des membres humains et des figures humanoïdes crispées par la douleur, et semblaient
s'animer à la lumière, effectuant une danse
macabre.

Après avoir observé de plus près cette
curieuse porte, Amos saisit avec précaution la
poignée et tenta de l'ouvrir.

– Tu ne réussiras pas…, fit une voix loin-
taine en ricanant. Elle est verrouillée par une
énigme qui elle-même est dissimulée sur la
porte.

– Même si j'arrivais à l'ouvrir, constata
Amos, je n'irais pas bien loin ! Pourquoi fermer
une porte qui ne mène nulle part ? C'est plutôt
bête !

– Si tu réussissais à l'ouvrir, continua la
présence, tu te retrouverais directement au
premier niveau des Enfers, juste devant Cerbère.
C'est une des nombreuses entrées qui existent
pour atteindre le royaume des démons et des
puissances du mal. Ah oui, je dois aussi préciser
qu'il n'y a que des entrées pour aller en enfer
et… pas d'issues !

– Ce serait donc ma chance de vous fausser
compagnie et de quitter cet endroit ?

– Tu n'y arriveras pas…, insista la voix.
D'autres ont essayé avant toi, sans succès.
Ils sont morts de désespoir et leur esprit
nous a rejoints…

– Je tente quand même ma chance ! lança Amos, confiant. Où se trouve-t-elle donc, cette énigme ? Sais-tu où elle est cachée ?

– Cherche ! répondit la voix. Je ne t'aiderai pas, car si par malheur tu réussissais, nous serions aspirés avec toi. Nous nous sommes habitués à ce vaste lieu d'angoisse et de désespoir… Nous n'avons pas envie de bouger d'ici.

Des centaines de voix autour d'Amos approuvèrent en chœur.

– C'est d'accord ! décida Amos. J'attaque.

Pendant les heures qui suivirent, Amos scruta la porte sans y trouver le moindre indice. À l'avant comme à l'arrière, il observa attentivement chaque détail, mais en vain. Comme il commençait à s'impatienter, les présences des ténèbres se mirent à ricaner. Le garçon, anxieux, se sentit de nouveau envahi par le désespoir. Sa jambe le fit soudainement souffrir et il s'effondra, se frappant la tête contre la porte. Du coup, Amos perdit son contrôle sur le feu et fut replongé dans les ténèbres profondes.

À moitié assommé, abattu et de nouveau souffrant, il entendit les voix de ses ennemis se rapprocher :

– Toi qui entres ici, laisse toute espérance… Toi qui entres ici, laisse toute espérance…

Ces voix tentaient de s'emparer de son âme.

– Toi qui entres ici, laisse toute espérance…
Toi qui entres ici, laisse toute espérance…

Vint le moment où le porteur de masques n'eut plus l'énergie de combattre. Sa situation semblait effectivement sans espoir et sa jambe le faisait de nouveau terriblement souffrir. Amos eut la certitude qu'il allait bientôt rejoindre ces ombres pour se fondre en elles, qu'il allait être absorbé pour l'éternité par ces présences étouffantes.

– Toi qui entres ici, laisse toute espérance, continuaient les obsédants murmures. Toi qui entres ici, laisse toute espérance…

Au moment où il allait glisser définitivement dans le désespoir, le garçon leva les yeux vers la porte des Enfers. Celle-ci affichait en son centre l'énigme :

Celui qui le fait le vend.
Celui qui l'achète ne s'en sert pas.
Celui qui s'en sert ne le sait pas.

Amos pensa qu'il avait été bête de chercher l'énigme en adoptant une attitude positive. La porte des Enfers ne répondait évidemment pas à de nobles sentiments, mais plutôt au décou-ragement et à la souffrance. Elle s'activait sous l'effet des pensées négatives et ne révélait ses secrets qu'aux malheureux.

– Toi qui entres ici, laisse toute espérance, rabâchaient les voix comme un mantra maudit. Toi qui entres ici, laisse toute espérance…

D'une certaine façon, les ombres du grand hall de l'angoisse avaient aidé Amos à découvrir le mystère caché dans cette porte. Peut-être avaient-elles inconsciemment envie de sortir, elles aussi?

Il relut attentivement l'énigme:

Celui qui le fait le vend.
Celui qui l'achète ne s'en sert pas.
Celui qui s'en sert ne le sait pas.

– De toute évidence, dit Amos tout haut, celui qui vend cet objet doit être un croque-mort, puisque celui qui l'achète le fait pour un autre qui, lui-même, selon la dernière phrase de l'énigme, pourrait être mort! Il s'agirait donc d'un cercueil…

À ces mots, la porte des Enfers s'ouvrit brusquement dans un grincement métallique assourdissant. Le vacuum avala toutes les présences du hall et, tout comme elles, Amos fut soulevé de terre et aspiré par l'ouverture ! La porte se referma violemment, laissant le grand hall de l'angoisse désert, prêt à accueillir de nouveaux venus.

2

La séparation

Ils avaient marché de longues journées sans avoir le courage de parler. Depuis leur départ d'El-Bab, rien n'allait plus. Béorf était d'humeur massacrante et se plaignait continuellement. Le gros garçon était convaincu d'être responsable de la mort de son meilleur ami. Le sentiment de culpabilité avait assombri son sens de l'humour et sa jovialité. Médousa s'était refermée sur elle-même et marchait toujours un peu en retrait du groupe, comme si la présence de ses amis la rendait mal à l'aise. Quant à Lolya, elle répétait sans cesse qu'Amos était encore vivant et elle réfléchissait jour et nuit à une formule ou à un sort qui pouvait l'aider à le retracer. Pour sa part, Frilla Daragon pleurait souvent dans les bras de Sartigan qui essayait de la consoler du mieux qu'il pouvait.

Une profonde tension divisait le groupe depuis l'effondrement de la tour d'El-Bab. Chacun avait essayé de retrouver le corps d'Amos, mais sans succès. Ils étaient restés des semaines à le chercher dans les ruines, à fouiller le moindre recoin du chantier et à espérer mettre la main sur un indice quelconque. Ils n'avaient retrouvé que ses oreilles en cristal et son livre *Al-Qatrum, les territoires de l'ombre*. C'est tout ce qui restait d'Amos, rien de plus! Devant leur échec, ils s'étaient résolus à abandonner les recherches et à s'en aller. Le petit groupe d'amis, naguère si fermement uni, avait perdu de sa cohésion depuis la disparition d'Amos.

Ce soir-là, Sartigan proposa de bivouaquer au sommet d'une petite montagne escarpée, tout juste en haut d'une falaise. De là, ils pourraient admirer la lune et les étoiles sans craindre de se faire remarquer par les tribus barbares et les animaux sauvages qui peuplaient le territoire.

Béorf, sans entrain, alluma un feu et mit à rôtir deux marcassins qu'il avait chassés pendant la journée. Frilla et Lolya préparèrent le campement alors que Sartigan et Médousa patrouillèrent dans les alentours afin de s'assurer de la sécurité du lieu. C'est alors qu'ils s'apprêtaient à manger que la querelle éclata.

— Quelle saleté as-tu encore trouvée à manger? demanda sèchement Béorf à Médousa.

– Euh… eh bien… j'ai… j'ai deux chauves-souris et une poignée de termites, balbutia la gorgone, surprise par le ton de Béorf.

– Ta nourriture me lève le cœur ! renchérit le gros garçon. Je m'évertue à chasser durant la journée pour vous offrir un bon repas et, toi, tu gâches tout avec tes… tes saloperies !

– Oh ! fit Médousa, insultée. Parlons donc plutôt de ton caractère de gros ours grossier ! Quand tu mangeras convenablement et sans t'en mettre partout, on reparlera de ma « saloperie » de nourriture !

– Arrêtez de vous disputer…, soupira Lolya. C'est très déplaisant de vous entendre.

– Justement ! rouspéta Béorf. Sais-tu ce qui est vraiment déplaisant avec toi, mademoiselle la nécromancienne optimiste ? C'est de toujours t'entendre répéter qu'Amos est vivant ! Une fois pour toutes, il faudrait que tu comprennes qu'il est MORT ! TU ENTENDS ? IL EST MORT !

– Normal qu'elle s'entête, lâcha Médousa, elle est amoureuse de lui !

La gorgone venait de trahir un secret qu'elle avait pourtant juré de garder pour elle. À côté, Lolya se renfrogna.

– Que vous êtes pénibles ce soir ! dit Frilla en se levant. Excusez-moi, je vais dormir.

Rappelez-vous qu'Amos est mon fils avant d'être votre ami… Vous honorez mal sa mémoire! Bonne nuit!

– Si vous voulez, proposa Sartigan, je vous raconte l'histoire d'un jeune hibou, seigneur de la forêt de…

– Suffit! éclata Béorf. J'en ai assez de ces histoires interminables.

– Même chose pour moi! s'emporta Lolya, devenue irascible.

– Au moins, nous sommes d'accord là-dessus! railla Médousa en croquant vigoureusement la tête d'une chauve-souris afin de dégoûter Béorf.

– Très bien, comme vous voulez, dit calmement le vieillard. Je vais aller faire une promenade sous les étoiles.

Les trois camarades, soudain un peu honteux de leur attitude envers Sartigan, demeurèrent muets près du feu.

– Merci bien, Médousa, d'avoir trahi mon secret en révélant mes sentiments pour Amos, grommela Lolya en rompant le silence.

– Mais ma pauvre amie! se moqua de plus belle la gorgone, tout le monde le savait déjà! Même Minho, le minotaure, s'en est aperçu dès les premières minutes où il a mis le pied sur *La Mangouste*. Tu transpirais d'amour pour Amos…

– En effet, ce n'était pas très subtil, fit Béorf en ricanant.

– Tu veux dire que…, se défendit Lolya, que même TOI, aussi bête que tes deux pieds et plus stupide qu'une paire de pantoufles, tu as véritablement remarqué mon amour pour Amos? Eh bien… pour que TOI, tu le remarques, cela ne devait VRAIMENT, MAIS VRAIMENT pas être très subtil, EN EFFET!

– Attention à ce que tu dis, Lolya, répondit-il en la menaçant du doigt.

– Vous êtes beaux à voir! persifla Médousa. Moi qui croyais que les gorgones étaient une race hypocrite et violente, je me rends bien compte qu'elles n'arrivent pas à la cheville des humains et des béorites.

– Tu peux bien parler d'hypocrisie, toi, rétorqua Lolya. On voit bien que la qualité première de ta race, c'est la traîtrise.

– C'est vrai que tu m'as déjà trahi et transformé en pierre à Bratel-la-Grande, ajouta Béorf pour soutenir Lolya.

– Ça va, j'ai compris! s'enflamma la gorgone. Merci pour votre amitié passée, mais maintenant j'en ai assez de vous deux! Je savais bien que vous ne me faisiez pas totalement confiance. Depuis le début, je me rends bien compte que je vous dégoûte! Je ne vous ferai plus subir ma présence! Adieu et bonne chance! Je retourne à la mer Sombre rejoindre mes sœurs.

Sur ces mots, elle retira violemment ses lurinettes et les jeta par terre.

— Et n'essayez pas de me suivre! ajouta-t-elle. Sinon vous en subirez les conséquences…

D'un mouvement, Médousa se retourna et s'élança du haut de la falaise. Elle déploya ses ailes et plana lentement en direction de la forêt.

— Eh bien, bravo, Lolya! grogna Béorf. Tu te rends compte de ce que tu as fait?

— Je n'ai rien fait du tout! répliqua la jeune Noire, irritée. Je crois plutôt que c'est ton attitude envers elle qui l'a chassée…

— TOUJOURS MA FAUTE! hurla le gros garçon. C'EST TOUJOURS MA FAUTE! À CAUSE DE MON ATTITUDE, J'AI CHASSÉ MÉDOUSA ET TUÉ AMOS, C'EST CELA, HEIN?

— COMME TU DIS…

— Parfait! conclut Béorf, de plus en plus contrarié. Puisque c'est comme ça, je te quitte moi aussi! Je retourne dans mon village où sont MES VRAIS AMIS. D'ailleurs, j'ai justement d'autres chats à fouetter à Upsgran! Ç'a été une belle expérience de te connaître, Lolya, mais j'espère ne plus jamais te revoir. De toute façon, tu es sans doute trop intelligente pour partager une seconde de plus avec un type aussi stupide qu'une paire de pantoufles. Bonne chance avec ta magie et tes esprits… Adieu!

Sans plus tarder, Béorf se transforma en ours et dévala la colline à toute vitesse.

En larmes, Lolya ramassa ses affaires et quitta aussi le campement.

Frilla et Sartigan, qui en réalité ne s'étaient jamais éloignés, avaient épié la scène.

– Nous aurions dû intervenir pour essayer de les calmer, déclara Frilla au vieillard. Je crois que votre idée de les laisser ensemble pour qu'ils vident leur sac était peut-être une erreur.

– Non, je ne pense pas, répondit le vieux maître. Il y a parfois des séparations nécessaires, bien que cela puisse être difficile à vivre. Si leur amitié est véritable, elle renaîtra plus tard, plus forte et plus rayonnante qu'auparavant.

– Sinon? demanda-t-elle avec une certaine émotion dans la voix.

– Sinon…, soupira Sartigan, nous aurons assisté à la fin d'une très grande complicité entre trois jeunes personnes d'une rare qualité. Amos était le mortier de cette alliance qui, j'espère, survivra à sa disparition. J'ai déjà dit à votre fils que ma tâche n'était pas de lui montrer le chemin, mais de faire la route avec lui.

J'applique aussi cette maxime avec Béorf, Médousa et Lolya. Vous savez, dans les plis de mes mains, je ne vois que le passé, alors que dans les leurs repose l'avenir…

— Alors, quel est votre plan maintenant? Que pouvons-nous faire?

— Je crois que nous devons attendre… et espérer.

— Vous avez raison, Sartigan. Maintenant, je propose que nous allions ensemble à Berrion. Le seigneur de l'endroit, Junos, est un de mes amis. Je suis certaine qu'il vous recevra aussi comme un frère. De plus, il s'agit de l'endroit où mon mari Urban a été assassiné et enterré; je souhaiterais me recueillir sur sa tombe.

— Je suis d'accord. Nous partirons demain à l'aube.

— Et les enfants? dit Frilla, soucieuse de leur sort. On ne peut pas partir sans les retrouver d'abord!

— Mais il le faudra pourtant! affirma Sartigan. Il n'y a rien à craindre pour eux actuellement. Par contre, pour ce qui est de leur avenir…

3

L'erreur de Lolya

Lolya avait marché et pleuré toute la nuit. Elle était épuisée, découragée et affamée. À bout de forces, la jeune nécromancienne s'assit sur un rocher tout près d'un ruisseau sinueux et elle observa les environs.

– Bravo, Lolya! gémit-elle, les yeux remplis de larmes. Tu as perdu Amos, laissé filer Béorf, chagriné Médousa, abandonné Sartigan et Frilla derrière toi et maintenant… te voilà complètement perdue! Je dois absolument me reprendre… Bon… d'abord, il me faut manger, puis m'abriter. Ensuite, je pourrai penser plus clairement et trouver une solution.

La jeune Noire se mit à explorer les alentours afin de dénicher un endroit sûr. Elle tomba sur un amoncellement de troncs d'arbres pouvant servir de base à la construction d'un refuge temporaire. Elle trouva aussi quelques plantes comestibles, des rhizomes de vivaces et bon nombre de petits fruits sauvages qu'elle avala aussitôt. Dans le ruisseau, elle attrapa pour son repas du midi des petits poissons et de belles écrevisses bien costaudes. Elle en profita pour se laver, nettoyer ses vêtements et démêler ses cheveux.

Lolya passa l'après-midi à se bâtir une cabane et à faire des provisions. Le soir venu, elle fut enfin satisfaite de son travail. Elle avait employé son temps à accomplir des tâches essentielles à sa survie, ce qui avait détourné son esprit d'Amos et calmé son sentiment d'impuissance. Elle se reposait maintenant à la lueur de son feu de camp (magiquement allumé grâce à une formule tirée du grimoire de Baya Gaya) et, tout en dégustant ses écrevisses, elle réfléchissait à voix haute :

– Donc, faisons le point. Me voici seule dans la forêt, c'est-à-dire sans Béorf ni Médousa, loin de Sartigan et de Frilla. Il est important que je me concentre sur mes intuitions et que j'oublie la dispute d'hier soir… Pour moi, il est évident qu'Amos est vivant, quoi qu'en pensent les autres ! Il n'est pas dans ce monde, il est ailleurs… Je sais qu'il existe des univers parallèles et qu'il est possible de franchir certaines barrières pour y accéder. C'est là que je dois le chercher ! Mais comment faire ? Là est tout le problème, je crois… mais… mais voilà ce que je dois faire ! Je dois me concentrer exclusivement sur ça. Il me faut fouiller attentivement mes deux grimoires et revoir toutes mes incantations. Je dois croiser mes sphères de magie avec celles de Baya Gaya pour élargir ma puissance et expérimenter de nouveaux sorts. Dès demain, je m'y mets ! Et je ne m'arrêterai pas avant d'avoir retrouvé la trace d'Amos, même s'il me fallait y consacrer le reste de mes jours.

C'est dans cet état d'esprit que Lolya s'endormit et qu'elle se réveilla le lendemain matin. La jeune nécromancienne entreprit l'érection d'un autel destiné aux sacrifices et aux offrandes. Elle réussit à faire bouger un vieux tronc d'arbre à moitié pourri, à le tirer jusqu'à son campement et à le placer au milieu d'un cercle symbolique qu'elle avait tracé sur le sol. Cela occupa presque toute sa journée !

Le soir, elle sculpta dans du bois de sureau une statuette représentant la reine mère, déesse de la Nature et des Éléments, qu'elle plaça ensuite au centre de son autel. Elle y disposa également quelques bougies blanches, un encensoir, un peu de sel et un petit bol d'eau. Ensuite, elle alluma les chandelles, fit brûler du *fliou* d'Arnakech et mélangea un peu de sel à l'eau. Ce rituel, répété pendant six jours, saurait polariser l'autel et concentrer la magie, omniprésente dans ces lieux, en ce point central.

La nécromancienne s'affaira les jours suivants à trouver une longue et solide branche de noisetier qu'elle ponça jusqu'à ce qu'elle soit parfaitement lisse. Avec son propre sang, elle consacra le bâton puis y inscrivit à sa base de nombreux signes et des formules magiques. Lolya avait maintenant un objet capable d'amplifier sa force, de rassembler ses énergies et de mieux canaliser ses pouvoirs.

Grâce à son nouveau bâton magique, la jeune fille réussit à tailler une grosse pierre et à en creuser l'intérieur pour s'en faire une marmite. Ce récipient allait lui être très utile pour préparer les potions magiques indispensables à ses recherches.

Toutes les nuits, pendant un mois, Lolya alla donc cueillir les ingrédients dont elle avait besoin dans la forêt. Elle savait qu'il fallait couper certaines plantes à la lune montante, d'autres à la lune descendante, plusieurs à la pleine lune et les plus puissantes au cours des nuits sans lune. Par chance, elle eut droit durant cette période à une éclipse lunaire. Ce phénomène bien connu des sorcières activait les forces terriennes en laissant croître, durant seulement quelques heures, une mousse aux pouvoirs tout à fait exceptionnels. Ce polytric aux vertus cosmiques était l'ingrédient de base capable d'ouvrir les portes dimensionnelles.

Exactement ce qu'il fallait à Lolya pour effectuer ses recherches !

– Voilà ! s'exclama-t-elle. J'ai tout ! Un autel bien polarisé, un bâton magique en bois de noisetier, une marmite profonde et des centaines d'ingrédients. Maintenant, je dois attendre le consentement de la déesse mère.

Lolya laissa de côté l'organisation de son laboratoire et attendit un signe de la nature. Pour commencer ses expériences, il lui fallait la présence d'un animal. En réalité, cet animal – aussi appelé « familier » – était l'incarnation d'un esprit de la nature dont la fonction consistait à aider la sorcière dans ses pratiques surnaturelles. Sans lui, aucun sort plus recherché ne pouvait être jeté. C'est par cet esprit que se liaient les composantes d'un sortilège complexe et par sa présence auprès de la sorcière que s'activaient les formules compliquées.

Ce fut après deux jours de pluies diluviennes sur la forêt que la déesse mère accorda à Lolya le droit d'utiliser son flux vital. Elle envoya une petite chauve-souris s'accrocher à une branche d'arbre, juste au-dessus de l'autel. En l'apercevant, la jeune Noire poussa un grand cri de joie et s'empressa de la prendre entre ses mains.

– Bonjour, petite chauve-souris, dit-elle en lui caressant la tête. C'est donc toi qui vas m'aider à retrouver Amos? Comme je suis heureuse que tu sois là! J'espère que notre amitié sera longue et fructueuse. Commençons tout de suite à travailler, si tu le veux bien! Va me chercher la plus petite feuille du plus grand arbre de cette forêt. J'en aurai besoin pour compléter les ingrédients nécessaires à mon premier sort. Ne te trompe surtout pas, ma réussite dépend de toi!

La chauve-souris émit un petit rire perlé et s'envola en deux coups d'ailes. Lolya ouvrit alors ses deux grimoires et commença à préparer une formule d'envoûtement destinée aux esprits des morts. Par ce sort, elle désirait capturer une âme errante afin de l'interroger.

Lorsque la petite bête fut de retour avec l'ingrédient demandé, la nécromancienne invoqua les puissances de la forêt. En croisant ses sphères de magie avec celles de Baya Gaya, elle finit par réussir tant bien que mal à entrer en contact avec l'au-delà. Malheureusement, Lolya était incapable d'enchanter une âme assez longtemps pour pouvoir communiquer verbalement avec elle. Par contre, elle perçut un grand bouleversement dans les mondes cosmiques et eut la certitude, pendant quelques secondes du moins, d'avoir capturé un esprit. C'est au milieu de la nuit, alors qu'elle tombait de fatigue, qu'elle décida de tout arrêter pour mieux recommencer plus tard.

La jeune magicienne saisit son familier et lui caressa machinalement la tête.

– Bon, soupira-t-elle, ce ne sera pas pour aujourd'hui! Peut-être aurai-je plus de chance un autre soir…

– Où suis-je? demanda anxieusement l'animal d'une petite voix.

– Mais tu parles?! s'exclama Lolya, étonnée. Comment cela est-il possible?

– Je ne sais pas… J'ai toujours parlé… Où suis-je?

– Tu es… tu es…, balbutia la nécromancienne qui ne savait pas non plus où elle se trouvait exactement. Tu es dans une grande forêt…

– UNE FÔRET! s'écria la petite bête. Il y a si longtemps que je n'ai pas vu de forêt… Ah oui! je me rappelle… Je sens l'odeur des bois… mais… mais je respire!

– Qui es-tu?

– Je ne sais plus… Je… j'étais…, bredouilla la chauve-souris. Je me rappelle avoir été vivant… puis mon âme est tombée dans une grande pièce vide appelée le hall de l'angoisse. J'y suis demeuré longtemps… En vérité, là-bas, le temps n'existe pas. La moindre minute est une éternité…

– Et alors?

– Et alors… il y a eu comme un grand vacuum et j'ai été aspiré vers le bas, vers les Enfers. Dans ma chute, j'ai vu tout près de moi une corde lumineuse qui flottait à la dérive. Je l'ai saisie au vol et… et me voici.

Lolya eut un large sourire. Tel un poisson que l'on sort de l'eau, elle avait réussi à pêcher une âme et à la ramener sur terre. Par contre, la jeune fille n'avait pas prévu que ce nouvel arrivant fusionnerait avec son familier. Qu'importe, elle était parvenue à ses fins et c'est bien tout ce qui importait!

– AH NON! nooooon! hurla la chauve-souris. Je me sens repartir! Je vais retomber dans les Enfers! C'est comme si la corde glissait de mes mains… NON! Je ne veux pas aller là-bas! NON!

– Je peux t'aider, précisa promptement Lolya, mais seulement si tu m'aides en retour!

– Sauve-moi et je ferai tout ce que tu voudras, jura l'animal possédé. Je ne veux pas aller aux Enfers… JE NE VEUX PAS!

– D'accord, je vais tout essayer, mais d'abord, donne-moi ton nom afin que je puisse établir un contact psychique avec toi!

– Je ne sais plus comment je m'appelle! J'ai tout oublié. L'angoisse et la souffrance ont effacé ma… ma… Karmakas! Voilà… siii… cela me revient… Je m'appelle Karmakas, siii…

– D'accord, Karmakas, l'interrompit Lolya. Je veux retrouver un garçon nommé Amos Daragon… Je ne sais pas s'il est…

– Mais ce nom me dit quelque… LA CORDE SE COUPE! hurla la chauve-souris. JE TOMBE!

– Je reprendrai contact avec toi, Karmakas! s'empressa de dire Lolya avant de le perdre.

À ce moment, la chauve-souris s'ébroua et s'envola de la main de la sorcière pour aller se pendre, tête en bas, au-dessus de l'autel.

« Je suis dans de beaux draps, pensa la nécromancienne. Je n'ai pas réussi à garder cette âme assez longtemps pour apprendre quelque chose sur Amos et me voilà en plus dans l'obligation de l'aider à sortir des Enfers! Je ne suis vraiment pas plus avancée que j'étais. Je dois réviser mon sort, le rendre plus puissant! Il faut aussi que je me concentre davantage sur mes formules… Mais pour ce soir, c'est terminé! Je suis exténuée. »

Alors que Lolya se préparait à dormir, la chauve-souris ouvrit les yeux.

– Oh non, siii, petite sorcière, je ne suis pas tombé dans les Enfers! Ton, siii, sort était parfait! Toute ma vie m'est revenue en mémoire lorsque, siii, tu as prononcé le nom d'Amos Daragon! Tu dois être une de ses nouvelles amies, siii, n'est-ce pas? Dors, ma belle petite Noire aux grands yeux, siii, dors sur tes deux oreilles, siii, je veille sur toi, bonne nuit, siii... et merci de me donner une deuxième chance... Cette fois, je n'échouerai pas... siii, tu peux en être certaine...

4
Le Styx et Cerbère

Le porteur de masques fit une chute vertigineuse vers le premier niveau des Enfers et tomba dans le vide éthéré sans pouvoir freiner sa descente. À sa suite, les ombres du grand hall de l'angoisse s'enflammaient comme des météorites au contact de l'atmosphère. Ces âmes étaient trop fragiles, trop délicates pour un plongeon aussi violent.

Convaincu qu'il allait se briser tous les os du corps à l'atterrissage, Amos eut une dernière pensée pour sa mère et ses amis. Heureusement pour lui, ce ne fut pas la terre aride du sommet de l'Enfer qui l'accueillit, mais la voile d'un navire, tendue comme un filet d'acrobate, qui amortit sa chute et lui sauva la vie.

– AMOS DARAGON EST DE RETOUR! annonça bruyamment une voix qui lui était familière.

Deux squelettes s'empressèrent de dépêtrer Amos de la voile. C'est alors qu'apparut aux yeux du garçon le visage de Charon. Du coup, tout ce qu'il avait vécu à Braha lui revint à l'esprit ! Comme si une fontaine jaillissait de sa mémoire, le porteur de masques revit en quelques secondes l'arrivée de Lolya à Berrion, la cérémonie précédant sa propre mort, le cimetière, sa première rencontre avec le capitaine, l'île des condamnés, son arrivée à Braha, les magistrats, Jerik, Arkillon, la pyramide, l'arbre de lumière, la pomme, TOUT ! L'aventure complète se révéla à son esprit comme une illumination !

– JE LE SAVAIS, cria Charon aux squelettes matelots, SON ÂME N'A PAS OUBLIÉ !

– Mais… mais… je vous connais ! s'exclama Amos, encore un peu sonné. Mais comment allez-vous, capitaine ? J'ai l'impression de… comment dire ?…

– VOILÀ, JE T'EXPLIQUE, CHER AMOS DARAGON ! TON ÂME A GARDÉ LE SOUVENIR DE TON VOYAGE À BRAHA, MAIS ELLE N'A PAS PU LE COMMUNIQUER À TON CORPS PARCE QUE LUI ÉTAIT RESTÉ DANS LE MONDE DES VIVANTS.

– D'accord, je vois…, fit Amos, interloqué. Et lorsqu'on m'a renvoyé dans le temps, mon esprit s'est incarné sans pouvoir livrer l'information à mon cerveau. Voilà donc pourquoi j'avais ces impressions étranges d'avoir vécu des choses ou vu des lieux qui…

– … QUI N'EXISTENT PAS! termina Charon, toujours en hurlant. TON ESPRIT ESSAYAIT D'ENVOYER L'INFORMATION À TON CERVEAU, MAIS CELUI-CI LA REJETAIT PARCE QU'IL ÉTAIT IMPOSSIBLE POUR LUI DE LA COMPRENDRE. DEUX MONDES, DEUX ÉTATS ET DEUX RÉALITÉS DANS UNE SEULE ET MÊME PERSONNE!

– Exactement! C'était comme si un rêve s'efforçait de convaincre ma raison qu'il avait véritablement eu lieu! ajouta Amos, impressionné par le phénomène. Et maintenant que mon corps et mon esprit sont ici avec vous, mon physique et mon psychique sont en harmonie et…

– … ET LA MÉMOIRE TE REVIENT! dit Charon dans un éclat de rire. VIENS DONC DANS MA CABINE ET ALLONS PARLER DE CE QUI T'ATTEND…

Ayant bien vu l'état pitoyable dans lequel se trouvait la jambe d'Amos, le capitaine ordonna aux squelettes de l'aider à se relever. Bien sûr, le masque de la terre avait chassé la douleur, mais cette blessure handicapait toujours le garçon. On lui apporta une béquille qui se trouvait heureusement à bord.

En regardant autour de lui, Amos fut surpris de voir qu'il était tombé précisément sur le bateau de Charon. Le capitaine lui expliqua que, de par sa fonction de batelier du Styx, il avait eu vent du châtiment d'Enki à son égard et qu'il s'était préparé à l'accueillir. Charon avait appris la présence d'Amos dans le grand hall de l'angoisse et, sachant que le porteur de masques était assez malin pour se sortir de là, il s'était positionné sur le Styx de façon à intercepter sa chute. Ainsi, il lui avait évité une baignade fatale dans les eaux du fleuve de la mort aussi appelé, au niveau des Enfers, le fleuve de la haine. Auparavant, le capitaine avait bien pris soin de vider le navire de ses derniers passagers à Braha afin de garder le secret de sa manœuvre et de s'épargner les réprimandes divines.

En pénétrant dans la cabine de Charon, Amos remarqua que les objets présents étaient parfaitement réels. Tout le contraire de son voyage sur ce même bateau alors que les passagers, le navire et même son propre corps avaient un aspect vaporeux et indéfini.

– Tu vois, reprit le batelier qui avait cessé de hurler, le corps et les sens interprètent les multiples dimensions du monde selon des angles bien précis. Comme ton corps est matériel et que tu arrives d'une dimension matérielle, il te donne l'impression que le bateau est en bois, que je suis en chair et que mes chaises sont confortables. Lorsque ton esprit seul était ici, sans ton corps, tu décodais ton environnement autrement…

– Et vous, capitaine, comment percevez-vous ce monde?

– Pour moi, gloussa Charon, il n'est que… que vibrations! Je ne vois et ne sens que des oscillations lumineuses. Moi-même, je ne suis d'ailleurs qu'un battement répétitif d'une énergie complexe qui puise sa force dans la présence des dieux. Sans eux, je cesse de battre et m'éteins… Bref, bon, voilà! Parlons plutôt de ces vilaines vibrations que je détecte dans cette jambe! Comment te sens-tu?

– Je ne sais qu'en penser. La magie de la terre qui circule en moi ne semble pas assez puissante pour me guérir entièrement. Je ressens parfois une douleur très intense qui semble directement liée à mon humeur. Plus noires sont mes pensées, plus intolérable est la souffrance!

– Tu garderas alors la béquille, dit Charon, tu en auras besoin très bientôt!

– Bientôt? Pourquoi? demanda Amos, perplexe.

– Parce que nous arrivons à la porte de Cerbère…

– La porte de quoi?

– De Cerbère, répéta le capitaine avec un air grave, la bête qui garde la porte qui mène au deuxième niveau des Enfers…

– Ah! d'accord… Et que se passera-t-il?

– Et que se passera-t-il, demandes-tu? Mais tu devras l'affronter et le vaincre si tu veux atteindre le niveau suivant…

– Mais je ne veux pas atteindre le niveau suivant! Je ne veux que trouver un moyen de sortir d'ici et regagner ma dimension à moi et celle de mes amis… mon monde à moi, quoi! Je n'ai rien à faire dans les Enfers…

– Je sais bien, mais tu y es pourtant! soupira le capitaine. Et si tu veux sortir d'ici, tu n'as pas le choix, il te faut passer par la cité infernale…

C'est à ce moment que l'on cogna à la porte de la cabine.

– Voilà, c'est le signal! l'avisa Charon. Nous y sommes presque! Nous devons faire vite, car je suis attendu ailleurs…

– Mais expliquez-moi, je ne comprends rien à ce qui arrive!

– Écoute bien… Tu as été envoyé aux Enfers par le dieu sumérien Enki! Te voilà maintenant prisonnier des neuf niveaux de cette dimension maudite. Heureusement, comme ton corps accompagne cette fois ton esprit, tu disposes de la totalité de tes pouvoirs que tu pourras utiliser pour te frayer un chemin à travers ces neuf plans d'existence.

– Et je dois absolument atteindre la cité infernale pour sortir d'ici, c'est bien cela?

– Oui, malheureusement. Tu devras aussi traverser cinq cours d'eau qui coulent de façon concentrique autour des neuf Enfers. Il s'agit du Styx, sur lequel nous naviguons actuellement, puis il y aura l'Achéron, le Phlégéthon, le Cocyte et le Léthé. Ensuite, tu devras subir les tourments des démons, les facéties des mauvais génies et... et tant d'autres supplices dont je préfère ne pas te parler.

Amos demeura complètement interdit.

– Des questions? demanda le capitaine, de plus en plus expéditif.

– Non... je crois que... non, balbutia le porteur de masques en ravalant ses questions.

– Alors, bonne chance, mon ami! lança Charon après une solide accolade. J'essayerai de te venir en aide. Tes amis de Braha prient pour toi et leurs pensées t'accompagnent dans l'aventure. Vite, tu dois descendre maintenant!

Lorsque Amos et Charon quittèrent la cabine, le navire était amarré à un minuscule quai. Le porteur de masques emprunta une échelle de corde pour descendre du bateau. À cause de sa jambe, l'exercice s'avéra difficile.

– SUIS L'ALLÉE JUSQU'À CERBÈRE!
hurla le capitaine. BONNE CHANCE!

Amos le salua de la main alors que le
navire s'éloignait déjà du quai.

Devant lui s'ouvrait une allée bordée de
grands arbres morts et distordus dont les
branches étaient tout aussi bistournées.
Autour, la terre rouge semblait sèche et stérile.
C'était un gigantesque désert rocailleux et
sablonneux qui couvrait entièrement le
premier niveau des Enfers.

Amos fit quelques pas en clopinant avant
de constater qu'il s'agissait d'un étrange chemin rectiligne qui s'allongeait devant lui, à
perte de vue. Il s'arrêta quand, à ses pieds, il vit
un écriteau de bois sur lequel était inscrit:
«Cerbère: 999 000 km, droit devant vous.»

«Me voilà dans de beaux draps! pensa le
porteur de masques. Je ne peux pas parcourir
cette distance avec une jambe dans cet état...
mais qu'est-ce que je dis là? Même avec deux
bonnes jambes, ce serait impossible! Le trajet
est beaucoup trop long!»

Amos regarda autour de lui. Il n'y avait que
cette immense allée, l'écriteau et le désert.

«Je dois trouver une solution... Bon. Je
sais que je dois considérer les choses sous un
angle différent et ne pas me laisser influencer
par ma propre logique. Je suis dans un autre

plan d'existence et donc soumis à d'autres règles. Or, si je ne peux me rendre à Cerbère, peut-être pourrais-je le guider jusqu'à moi. Mais comment arriver à raccourcir la route qui nous sépare? D'accord, d'accord! Réfléchissons… Hum… Il suffit peut-être de… MAIS OUI!»

Le garçon examina attentivement l'écriteau et vit qu'il était mal fixé à son poteau. Il l'arracha d'un geste brusque et le retourna, le plaçant cette fois à l'envers. À sa grande surprise, les lettres se repositionnèrent en se modifiant. On pouvait maintenant y lire: «Cerbère: 000 666 km, juste derrière vous.»

– AAAAAAAAAAAAH! hurla Amos dès qu'il se fut retourné.

À quelques pas de lui, un monstre à trois têtes, qui devait peser une centaine de tonnes au moins, le fixait d'un air amusé. Cerbère, le terrible chien des Enfers, avait un cou hérissé de serpents, des dents empoisonnées et une haleine à faire s'évanouir un putois. Des coulées de bave pendaient à ses commissures alors que ses six yeux, rivés sur lui, l'observaient attentivement. La bête était retenue par une chaîne démesurément longue qui s'enfonçait dans le sable du désert.

Paniqué, Amos se jeta par terre en brandissant sa béquille comme une épée. Il remarqua alors deux chemins distincts juste derrière la créature. L'un, en pierre, partait vers la droite, et l'autre, en sable, allait vers la gauche. Le monstre se mit à parler :

— J'ai trois têtes, dit celle du centre d'une voix haletante. Celle-ci dit toujours la vérité et celle-là, toujours des mensonges. Tu ne sais pas laquelle est honnête et laquelle ne l'est pas. Comme tu veux connaître le chemin pour te rendre au deuxième niveau des Enfers, tu as le droit de poser UNE seule et unique question à UNE des deux têtes. Si tu réussis à trouver la bonne direction, nous te laisserons passer… Si tu échoues, nous te dévorerons… Alors, pose vite cette question ! Nous avons faim !

Le porteur de masques jeta rapidement un coup d'œil autour de lui. Il ne pouvait ni s'enfuir ni retourner l'écriteau pour éloigner Cerbère. De toute évidence, ses pouvoirs sur les éléments ne viendraient jamais à bout d'un tel monstre. Il était seul, sans ses amis pour le secourir ou pour lui donner une idée. Pour sauver sa vie, il lui fallait poser la bonne question.

— Alors ? s'impatienta Cerbère. Tu la poses, cette question ?

« Comment savoir laquelle de ces deux têtes ment…, se demanda Amos, et laquelle dit la vérité ? Je dois les obliger à m'indiquer le bon chemin… »

– Tu es muet ou quoi? Ou peut-être es-tu sourd.

Le garçon se releva difficilement. Sa jambe le faisait toujours souffrir et la douleur l'empêchait de se concentrer. Malgré tout, il regarda la tête de droite dans les yeux et lui demanda:

– Si j'avais demandé à l'autre tête la direction que je dois prendre pour me rendre au deuxième niveau des Enfers, quel chemin m'aurait-elle indiqué?

Amos l'ignorait, mais comme il s'adressait à la tête de droite et que celle-ci disait toujours la vérité, elle indiqua la réponse qu'aurait donné la tête menteuse, c'est-à-dire le chemin de pierre. Or, puisque la tête de gauche mentait toujours, celle de droite venait forcément de dévoiler le mensonge de sa consœur. Le chemin à emprunter était donc le chemin de sable!

Mais supposons qu'Amos ait choisi de poser la question à la tête menteuse, celle-ci aurait répondu le contraire de la vérité, c'est-à-dire le chemin de pierre! Encore une fois, par déduction, il était logique que le chemin à emprunter soit le chemin de sable!

Dans les deux cas, qu'elles soient honnêtes ou non, en répondant à cette question les deux têtes indiquaient toujours une réponse contraire à la vérité.

– Je prendrai donc la route qui est juste là, dit Amos à la tête du centre en pointant la chaussée ensablée. Et merci pour l'indication.

Les trois têtes de Cerbère se regardèrent les unes les autres avec perplexité. Puis, à contrecœur, le monstre humilié se déplaça lourdement pour laisser passer le garçon.

Toujours en claudiquant, Amos croisa une dernière fois le regard de la bête et dit en se moquant :

– J'espère que vous trouverez autre chose à manger !

5
Le Vent noir

Après de longues heures de marche, Amos s'écroula de fatigue et tomba face contre terre. Sa jambe, toujours dans un pitoyable état, ne pouvait plus le porter. Assoiffé et affamé, le pauvre garçon avait perdu tout espoir d'arriver vivant à la cité infernale. Il était presque mort et, s'il s'entêtait à poursuivre ce voyage, les épreuves qu'il savait devoir affronter l'achèveraient certainement.

Un vent acide et étouffant se leva et fit voler le sable autour de lui. L'âcreté de l'air lui assécha la bouche et accentua sa soif.

Les yeux mi-clos, épuisé et découragé, le porteur de masques gisait à plat ventre. Le véritable enfer ne se trouvait pas dans les représentations des peintres et des sculpteurs. Il ne se trouvait pas dans les fresques représentant des fournaises chauffées à blanc, des lits de charbons ardents ou encore des ordres de démons dévorant la chair des humains. Ce lieu n'était pas composé d'abîmes pestilentiels, de cris d'horreur et de machines de torture. L'enfer, c'était ce qu'Amos vivait actuellement !

– Je suis Baal, fit doucement une voix mélodieuse. Je voulais te rencontrer avant que tu ne meures. Dis-moi, est-ce bien toi qu'a choisi la Dame blanche pour rétablir l'équilibre du monde ?

Le garçon ouvrit un œil et vit à ses côtés un petit homme à la tête de chat qui, bien assis en tailleur, l'observait attentivement. Il avait avec lui deux grandes gourdes d'eau, visiblement remplies à ras bord, où quelques gouttes suintaient autour du bouchon de liège.

– Oui…, parvint à répondre Amos.

– Bien, poursuivit Baal. On m'appelle aussi le Grand Duc et mon pouvoir est très important dans les Enfers. Je suis le seigneur et maître de ce deuxième niveau et mon pays se nomme le Vent noir. Il n'y a rien ici… excepté moi. J'occupe aussi les fonctions de chef des armées infernales. Je commande soixante-dix légions de démons inférieurs et je siège à la table des neuf.

– Aaaah… j'ai… soif !

– Je suis adoré des Chaldéens, des Cananéens et des Sidoniens qui m'offrent souvent des sacrifices humains, surtout des enfants, pour obtenir de belles récoltes. Les pauvres ignorent que je n'ai rien à voir avec l'agriculture et que je fais de leurs victimes des soldats pour mes armées.

– S'il vous plaît… de… de l'eau !

– Souvent, continua Baal sans faire attention à Amos, les gens me représentent avec trois têtes. Une tête de chat, que tu peux voir en ce moment, une autre d'homme et une dernière de crapaud. Je pense qu'ils me confondent peut-être avec Cerbère ; la frontière entre nos royaumes est si mince. En fait, c'est le vent qui détermine la limite entre nos deux territoires.

– S'il vous… j'ai… de l'eau…

– Tu sais qu'il existe une grande différence entre les démons et les dieux ? Moi, par exemple, je suis un démon. On me définit comme un être surnaturel, un esprit ou une force capable d'influer sur l'existence humaine, mais généralement de façon maléfique. On dit que je peux prendre plusieurs formes, avoir plusieurs noms… tu vois ?

– Oui… mais je…

– Plusieurs peuples primitifs pensent que, nous, les démons, nous influençons les éléments de la nature. C'est tout à fait faux ! Nous sommes là pour tourmenter les vivants et sommes placés directement entre les mortels et les dieux.

– D'accord… mais arrêtez… je…

– Pour les dieux, par contre, c'est différent! Ce sont des créateurs à qui on attribue la perfection, l'infinitude, l'immuabilité, l'éternité, l'omniscience et l'omnipotence! Le concept de «dieu» est d'ailleurs très difficile à comprendre pour les êtres mortels. On les considère comme un mystère, et les conceptions varient selon les cultes et les cultures… Est-il vrai que tu as déjà giflé Enki?

– Oui… mais est-ce que…

– Alors, bravo! s'exclama Baal. Tu as tout mon respect! Si tu savais la chance que tu as eue de le gifler! Je t'envie! Je rêve de gifler un dieu depuis mon arrivée dans les Enfers! Tu sais que tu as gagné le respect de bien des démons avec ton geste?

Assoiffé comme jamais il ne l'avait été et excédé par les palabres de Baal, Amos finit par crier:

– DE L'EAU! JE VEUX DE L'EAU!

– WOW! s'exclama le démon. Quelle fougue! Quelle énergie! Je crois que tu es la meilleure personne pour…

– Donnez… moi… de… l'eau…, implora le garçon. Ou… laissez… laissez-moi… mourir… en paix.

– Mauvaise nouvelle, répondit Baal, tu ne peux pas mourir ici! D'ailleurs, tu ne peux mourir nulle part dans les Enfers. Ce lieu recueille les âmes des morts et, comme tu n'es pas mort… tu ne peux que souffrir! Enki t'a joué un bien vilain tour, hein?

– Mais… pas… de… solution pour moi… alors?

– Je n'en vois pas. En plus, tu penses avoir soif? Tu crois que ta jambe te fait mal? Attends dans une semaine, un mois! La souffrance que tu crois aujourd'hui insupportable sera décuplée dans quelques jours, centuplée peut-être! C'est là que tu comprendras ce que veut dire «intolérable». Mais… mais j'y pense! Il y a peut-être une façon d'éviter tout cela…

À présent trop anéanti pour parler, Amos fit un petit signe de la tête pour signifier qu'il écoutait.

– Je t'échange ces deux grandes gourdes d'eau contre un petit service, lui proposa Baal. Mais sens-toi bien à l'aise de refuser! Je ne veux pas que tu te déranges pour moi. Je ne suis pas du genre à demander de l'aide ni à compter sur les autres pour accomplir mes œuvres, tu sais…

Le porteur de masques hocha la tête en signe d'acceptation. Sans connaître les termes du marché, il était prêt à tout pour un peu d'eau, n'importe quoi pour étancher sa soif!

– Ton attitude positive me réjouit! fit le démon en lui présentant un objet. Prends cette dague et rapporte-la avec toi dans le monde des vivants. Je te demande peu de chose, à vrai dire, n'est-ce pas? Mais si tu ne réussis pas à trouver ton chemin à travers les Enfers et que tu restes coincé dans ses dédales, je ne t'en tiendrai pas rigueur et je te laisserai souffrir en paix pour l'éternité. Mais si, par chance, tu retournes dans ton monde, prends cette dague avec toi! Telle est ma requête! Tu acceptes?

Amos acquiesça sans réfléchir et tendit le bras pour saisir l'objet.

– Je savais que je pouvais compter sur toi, jeune porteur de masques! jubila Baal. Prends-la!

Trop faible pour porter le poids de l'arme, le garçon la laissa tomber dans le sable.

– Hou là! s'écria le démon, que tu es faible! Je crois qu'il est temps de t'aider si je veux que ma petite dague ait une chance de sortir d'ici! Regarde bien ce que j'ai à mes côtés! Tu vois ces deux gourdes?

Amos cligna des yeux en guise d'affirmation.

– Elles sont remplies des eaux de la fontaine de Jouvence de l'île sacrée de Bimini. Toute personne, malade ou blessée, qui la boit, s'en arrose ou s'y baigne recouvre immédiatement la santé. Les vieillards redeviennent jeunes et regagnent leur souplesse des beaux jours, les muscles fatigués reprennent leur force, et les blessés, comme toi, guérissent à une vitesse fulgurante.

– D'accord… oui… oui… soif…

– Mais attends, jeune impatient, je n'ai pas terminé! Cette eau sera aussi ta seule nourriture durant ta longue traversée des Enfers. NE MANGE RIEN DE CE QUE TU POURRAIS TROUVER ET NE BOIS RIEN DE CE QUE L'ON POURRAIT T'OFFRIR! Est-ce bien clair? Ici, il ne faut faire confiance à personne! À l'exception de moi, bien sûr. Les propriétés de cette eau te soutiendront et, si tu sais l'économiser, tu en auras assez pour atteindre la cité infernale.

– Hum…, fit Amos comme unique réponse.

– Encore une chose: ne porte jamais à ta bouche non plus une seule goutte du Léthé, ruisseau de l'oubli. Je t'avertis: on voudra t'en faire boire, mais tu dois résister de toutes tes forces. J'ai dû faire beaucoup de sacrifices pour mettre la main sur ces deux gourdes et je ne veux pas être déçu par ta désobéissance! Tu veux retourner chez toi, hum? Alors, des questions?

– Na…

– Alors, buvons ! lança Baal en disparaissant dans une bourrasque de sable.

Une fois seul, Amos rampa péniblement jusqu'à la première gourde. Moins d'un mètre seulement le séparait de la précieuse eau, mais l'effort lui parut surhumain. Il lécha une gouttelette qui perlait et, aussitôt, elle se répandit, par enchantement, dans sa bouche en humectant aussi sa gorge. Quel bienfait et quel bonheur !

Encouragé par l'effet bénéfique de cette eau miraculeuse, le porteur de masques lécha une deuxième, puis une troisième goutte. Encore une fois, il ressentit l'effet d'une cascade d'eau vive jusque dans son âme. C'était si bon ! Tellement que le garçon se mit à rire, grisé par cette extraordinaire sensation. Sa jambe n'était pas guérie, loin de là, mais l'espoir commençait à renaître en lui. L'effet de la fontaine de Jouvence était bien réel !

Après quelques minutes, Amos réussit à reprendre assez de force pour lever un bras et retirer le bouchon de liège. Il s'assura que la gourde ne se renverse pas, porta le goulot à sa bouche et but une gorgée complète, puis deux, trois, quatre et cinq ! Il était incapable de s'arrêter ! C'était plus fort que lui, plus fort que l'avertissement de Baal voulant qu'il boive avec parcimonie, c'était plus fort que tout !

L'eau merveilleuse se répandait dans son corps en le libérant peu à peu de ses souffrances. Amos, complètement enivré, cessa de boire lorsqu'il eut l'impression que son estomac allait exploser. Alors seulement, il scella la gourde et, repu, glissa dans le sommeil.

Amos revit en rêve ses parents, le sourire de sa mère et la tendresse de son père. Il rêva aussi du petit royaume d'Omain et de ses jeux d'enfant. L'odeur de l'herbe haute des clairières de chez lui vint lui chatouiller les narines. La chaleur du soleil à travers les arbres durant ses expéditions en forêt et la douceur des nuits dans la chaumière familiale croisèrent les images du petit port de pêche, de ses baignades dans la mer et des festins de crustacés. Le garçon revit tout ce qu'il avait aimé de sa petite enfance et il en éprouva beaucoup de joie.

Lorsqu'il ouvrit les yeux, sa jambe ne le faisait plus souffrir et il semblait complètement rétabli. Il n'avait plus faim ni soif et il était de bonne humeur. Même s'il se trouvait toujours dans ce désert aride, le porteur de masques se sentait reposé et prêt à poursuivre le voyage.

« Je dois être fidèle à ma promesse, pensa-t-il en saisissant par terre la dague de Baal. Voilà, je vais bien la fixer à ma ceinture afin de ne pas la perdre. Ce démon doit avoir l'œil sur moi et me fera des misères si j'échoue. Il m'a bien piégé, celui-là! Je me demande pourquoi il tient tant à ce que son arme m'accompagne. »

Amos regarda attentivement la dague. Elle était modeste et apparemment sans grande valeur avec sa vulgaire lame rouillée, montée sur un manche de bois mal dégrossi. Il n'y avait pas de pierres précieuses ni d'ornements intéressants ou autre particularité pouvant la distinguer des autres dagues. Oui, peut-être une! Cette arme devait avoir été fabriquée par un très mauvais forgeron ou son apprenti peu talentueux. La lame avait été mal trempée et le travail de finition, bâclé. Cette dague n'était bonne que pour la poubelle!

« J'espère qu'elle ne me causera pas de problèmes, se dit Amos. Sans atout visible, elle possède sûrement des pouvoirs diaboliques… Bon! j'ai assez perdu de temps. Si je veux trouver mon chemin et revoir mes amis, je dois me remettre en route! »

Les deux gourdes sur l'épaule et la dague de Baal à la ceinture, le porteur de masques reprit sa route en abandonnant derrière lui la béquille de Charon.

6
La gorgone et l'hommanimal

C'est après des jours de voyage que Médousa atteignit la mer Sombre. En raison de sa capacité de voir dans le noir, elle avait choisi de marcher durant la nuit et de se reposer le jour. Ainsi, elle n'avait rencontré aucun obstacle. La jeune créature avait prudemment traversé des villages, évitant systématiquement les grandes routes de commerce, et s'était orientée à l'aide des étoiles. En outre, elle avait pu se nourrir facilement, les sauterelles pullulant à cette époque de l'année.

Pour Médousa, le plus difficile n'avait pas été de marcher jusqu'à la mer Sombre ni d'éviter les mauvaises rencontres. C'est la séparation avec ses amis qui l'avait chavirée tout au long de sa route. Elle avait eu beau se dire que ce voyage en solitaire lui ferait du bien, qu'elle n'avait besoin de personne pour lui dicter sa conduite et qu'elle était tout à fait libre, la gorgone pleurait quand même chaque soir avant de se remettre en route. C'était toujours au lever du soleil, alors qu'elle se cachait pour dormir, que sa solitude lui pesait le plus.

Bien sûr, les avantages du voyage en solitaire étaient nombreux. Médousa jouissait d'une véritable liberté! Elle pouvait avancer à son rythme, changer d'itinéraire à sa guise, s'attarder à un endroit plus qu'à un autre et, surtout, croquer des insectes sans subir les commentaires de Béorf. La solitude lui permettait d'apprendre à mieux se connaître, à se dépasser et à prendre confiance en elle. Néanmoins, la gorgone s'ennuyait de ses amis. Parfois, elle se reprochait son manque de sociabilité et sa crainte d'être rejetée des autres (un peu normale pour une gorgone, à vrai dire!).

«J'aurais dû être plus forte et m'imposer davantage au lieu d'attendre que les décisions soient prises par les autres, pensa-t-elle. Et ce, malgré mes différences! Je n'ai pas beaucoup aidé Amos dans sa mission, en plus d'avoir été un poids pour lui. Béorf ne méritait pas que je sois si agressive avec lui et je n'aurais jamais dû révéler le secret que Lolya m'avait confié. Je suis une créature stupide, incapable de garder ses amis…»

Malgré la sévérité de son jugement envers elle, Médousa avait compris que l'amitié a besoin de loyauté, d'intégrité, d'équité et de générosité pour s'épanouir entre les individus. Elle avait deviné que tous les êtres de son monde, humains ou humanoïdes, ne pouvaient pas vivre seuls et que la vraie force reposait sur l'affection et la bienveillance envers les autres. Voilà pourquoi elle était retournée naturellement vers ses sœurs de la mer Sombre et qu'elle désirait se reconstruire une nouvelle vie dans le royaume sous-marin des gorgones de mer.

Tandis que Médousa, les deux pieds dans la mer Sombre, s'amusait à regarder ses orteils passer de la couleur verte à la couleur bleue, une voix l'interpella :

– Mademoiselle ! Ne faites pas cela, mademoiselle !

La gorgone s'assura que son capuchon lui couvrait bien la tête puis regarda furtivement qui l'appelait ainsi. Il s'agissait d'un vieillard, visiblement pêcheur de métier à en juger par son habillement, qui s'avançait vers elle.

« Dès qu'il sera plus près de moi, se dit-elle, je le transformerai en pierre ! »

Médousa soupira, puis se ravisa. « Voilà une bonne preuve de mon manque de confiance envers les autres ! Me voici prête à pétrifier quelqu'un par méfiance, sans aucune raison valable. Lolya a bien raison de croire que je suis une traîtresse. Et je ne suis pas que cela, je suis aussi une sacrée peureuse… »

– Ne vous jetez pas à l'eau, mademoiselle, lança le vieillard essoufflé juste derrière elle. Il y a une malédiction qui se propage dans la mer. Je vous déconseille fortement la baignade.

– Quelle malédiction ? demanda la gorgone en prenant garde de ne pas se retourner.

– Je l'ignore. Mais les pêches sont désastreuses ces temps-ci et les poissons que nous réussissons à prendre sont tous infestés de vers et portent d'étranges taches rouges. La plupart des crustacés sont morts et les coquillages sont immangeables…

Subitement inquiète pour ses sœurs, Médousa baissa la tête, serra les poings et demanda :

– La mer a-t-elle renvoyé des corps de créatures étranges ?

– Oh oui, mademoiselle ! s'exclama le pêcheur. Vous auriez dû les voir ! De vrais démons avec des cheveux comme des serpents, la peau bleue et des ailes dans le dos. Mon fils et moi, nous pensions qu'il s'agissait de sirènes, mais un homme est passé, un scientifique d'Arnakech envoyé par le sultan, qui nous a informés qu'il s'agissait de gorgones. De terribles créatures capables de vous transformer en pierre d'un seul coup d'œil !

Médousa ne put s'empêcher de pleurer. La malédiction d'Enki avait aussi frappé la mer Sombre. La première plaie, celle qui avait changé l'eau de la rivière en sang, avait infecté une partie de la mer et empoisonné ses sœurs. La jeune gorgone était certaine que la cité sous-marine n'était plus qu'une coquille vide, sans âme et sans vie, se balançant au gré des courants marins. Doriusa et ses amies étaient probablement mortes, emportées elles aussi par l'infection.

– Vous êtes triste ? demanda le vieillard. Mais il ne faut pas ! Si c'est à cause de ces créatures, elles ne méritent sans doute pas une seule de vos larmes.

– Vous croyez ?

– J'en suis certain. Il ne faut surtout pas vous en faire…

– Je ne pleure pas la mort des gorgones, mentit Médousa, je pleure la perte de mes amis. Je pleure parce que me voilà maintenant seule et sans famille. Je pleure pour un jeune homme-ours que j'aimais, pour un garçon fantastique aux pouvoirs extraordinaires qui est mort et une amie nécromancienne qui me confiait des secrets. Je pleure parce que je suis maintenant seule. Seule de ma race… et seule dans ce monde. Je pleure parce que j'ai bien envie de me jeter à l'eau et de m'y noyer !

– Ne faites rien de stupide, mademoiselle ! Le véritable courage n'est pas de se donner la mort ; le véritable courage, c'est de vivre ! Il est facile de trouver en soi la force de mettre fin à ses jours, mais il est beaucoup plus difficile de continuer à se battre et de croire en son avenir. Voilà la véritable force ! Celle qui nous pousse tous les jours à affronter une nouvelle journée en essayant d'y trouver la joie et le bonheur. Je connais une vieille chanson traditionnelle que fredonnait mon frère Léo, un musicien de grand talent, qui dit que le bonheur, c'est du chagrin qui se repose…

– Vous êtes gentil, dit Médousa, reconnaissante. S'il vous plaît, laissez-moi seule maintenant, j'ai besoin de réfléchir.

– Alors, promettez-moi de ne pas faire de bêtise, insista l'homme.

– D'accord, je le promets.

– Bon…, dit enfin le pêcheur. Je vous quitte… Et ne restez pas trop près de la mer, il y a peut-être de ces gorgones qui traînent encore sur les plages ! Je ne voudrais pas qu'il vous arrive malheur.

– Bien, répondit Médousa, songeuse. Très bien…

***

Béorf fut accueilli en héros par les gens de son village. Le jeune chef fut amené dans la joie à la taverne du port et placé debout sur une table afin qu'il raconte ses aventures. Même s'il n'avait aucune envie de revivre les événements de la tour d'El-Bab, il conta malgré tout son voyage. Dans son récit, Béorf escamota de grandes parties de l'histoire. Il oublia de nombreux détails et de juteuses anecdotes pour se libérer le cœur et en venir le plus vite possible à la tragique fin d'Amos. Les spectateurs baissèrent la tête lorsque le conteur penaud ajouta:

– Je crois qu'Amos est mort par ma faute. Si j'étais resté avec lui, rien de tout cela ne se serait produit.

Un murmure circula dans la pièce. Béorf descendit de sa tribune improvisée pendant que la propriétaire de la taverne avisait ses convives qu'il n'y aurait pas de célébration. De toute façon, personne n'avait plus le cœur à la fête. Avant de quitter la pièce, le gros garçon se retourna.

– J'ai manqué à mon devoir envers Amos. Comme j'ai été incapable de veiller correctement sur mon ami, je considère que je ne suis pas digne de diriger le village. Merci de tout cœur pour votre confiance, mais je renonce à être votre chef. Je n'ai pas hérité des qualités de cœur de mon père Évan et je n'ai pas la moitié du courage de mon oncle Banry. La grande lignée des Bromanson d'Upsgran se termine avec moi. J'ai honte de ce que j'ai fait à Amos et honte de ce que je suis devenu. Je vais quitter ce village et, s'il vous plaît, n'essayez pas de me retenir…

Il referma la porte derrière lui.

Sans prendre le temps de défaire son sac de voyage, Béorf grimpa vers le repaire de Maelström. Geser Michson, toujours à son poste, l'accueillit à bras ouverts. Ensemble, ils pénétrèrent dans l'ancienne forteresse béorite où, en ouvrant la porte de la grande salle, le jeune hommanimal eut la surprise de sa vie : Maelström se jeta sur lui et, comme un chien excité de revoir son maître, il lui donna un bon coup de langue. À moitié trempé par cet élan d'affection spontané, le gros garçon eut un moment de panique en apercevant la taille de la bête. Ce n'était pas encore un dragon adulte, loin de là. Cependant, Maelström avait au moins triplé de volume et atteignait maintenant la taille d'un gros cheval de trait en affichant l'allure menaçante du dragon de Ramusberget.

– HOLÀ ! du calme, Maelström ! ordonna Geser en saisissant l'anneau qu'il lui avait inséré dans les narines comme à un bœuf. Laisse Béorf respirer un peu ! Tu es devenu trop lourd pour faire des choses pareilles, je te l'ai souvent dit… MAELSTRÖM !

– Mais, père, protesta le dragon d'une voix ronflante, je suis si content de revoir mon frère Béorf…

– Père ? Son frère ? fit le garçon, stupéfait d'entendre le dragon les appeler ainsi.

– Bon. Oui… euh… comment te dire ?… commença Geser en s'approchant de son jeune ami. Tu vois, Maelström a un sens très aigu de la famille. Il définit ses rapports avec les autres en établissant des liens familiaux. Pour lui, je suis son père… Amos, Médousa, Lolya et toi, vous êtes ses frères et sœurs. Pour le protéger des regards indiscrets, je lui ai aussi dit que les béorites d'Upsgran sont des cousins qu'il ne faut pas déranger… tu comprends ?

– Et sa mère ? Qui considère-t-il comme sa mère ?

– Eh bien… je lui ai dit que sa mère…, hésita Geser, que sa mère est la lune et qu'il est tombé du ciel. Je lui ai inventé une histoire fantastique où le monde était anciennement peuplé d'êtres éternels et… enfin… je t'expliquerai plus tard !

– Viens ici, Béorf, grogna gentiment le dragon. S'il te plaît, raconte-moi tes aventures !

Le gros garçon s'approcha de lui, lui caressa tendrement la tête et fit le récit de son voyage vers El-Bab. Cette fois, Béorf n'oublia pas un seul détail et parla des meuves, de Volfstan, de Nérée Goule et des Salines. Il décrivit de façon théâtrale l'accident qui avait causé la perte de *La Mangouste*, expliqua comment les membres de l'équipage avaient survécu aux différentes plaies d'Enki, évoqua Koutoubia, rapporta la dispute entre Lolya, Médousa et lui, et finit par annoncer la mort d'Amos.

Geser essuya une larme.

– Pourquoi? Je ne comprends pas, marmonna Maelström. Nous sommes une famille…

– Oui… mais il arrive parfois que…, tenta d'expliquer Geser, il arrive parfois que des familles se brisent.

– Pourquoi? questionna de nouveau la bête.

– Parce que la vie est ainsi faite, continua le béorite, embarrassé de ne pas trouver les mots justes.

– Si vous permettez, père…, coupa le dragon. Je sais que mes frères et sœurs et moi sommes tous de races différentes et que je ne suis pas véritablement tombé de la lune. Je pense aussi qu'une famille est un groupe de personnes liées entre elles par l'amour davantage que par le sang. Vous êtes mon père, car je vous aime comme un père. Maintenant, le temps est peut-être venu pour moi de jouer un rôle dans cette famille et de réunir les gens que j'aime. Il est temps que j'agisse comme un frère pour ceux que je considère comme tels...

– Non, Maelström! lança Geser, troublé. Je ne veux pas que tu quittes cet endroit! Le monde extérieur est trop dangereux pour toi...

– Si vous croyez, père, qu'il est mieux pour moi de rester ici, je resterai.

Déçu, Maelström baissa la tête et se lova sur le sol. Geser demanda à Béorf:

– Penses-tu que nous pouvons le laisser sortir?

– Je te rappelle, Geser, que Maelström n'est pas un lièvre, mais un dragon! Il est au sommet de la chaîne alimentaire et, ma foi, il est de taille à se défendre!

– Hum... S'il pense pouvoir retrouver Médousa et Lolya et pourquoi pas Amos... Bon, alors, c'est d'accord!

En entendant la décision de Geser, Maelström poussa un cri de joie qui fit trembler la grande salle.

Sans tarder, les deux béorites accompagnèrent le dragon à l'extérieur de la forteresse et Geser lui prodigua ses derniers conseils.

– Ne vous inquiétez pas, père, je serai très prudent et je les retrouverai…, dit Maelström, confiant. J'ai une vue et un odorat exceptionnels. En plus, c'est la meilleure journée pour entreprendre cette aventure !

– Pourquoi ? demanda Béorf, intrigué.

– Parce que c'est le printemps et que c'est l'anniversaire d'Amos. Il a quatorze ans aujourd'hui.

7
Le Tartare

Après de longues journées de marche dans le désert hostile de Baal, Amos Daragon finit par traverser le deuxième niveau des Enfers. C'est ce qu'il déduisit lorsque se dressa devant lui un colossal mur d'airain, haut d'une centaine de mètres au moins et visiblement impossible à franchir. Ne sachant que faire devant cet obstacle gigantesque, il voulut le contourner, mais s'aperçut rapidement que cela était inutile. D'un côté comme de l'autre, la muraille s'étendait à perte de vue et l'alliage de bronze dans lequel cette frontière avait été coulée n'offrait aucune prise pour l'escalade.

«Que faire maintenant? songea Amos, un peu désemparé. Me voilà devant un mur infranchissable et je ne peux...»

Soudain, au loin dans le ciel rouge et sans nuages, trois formes volantes attirèrent son attention. Anxieux, le garçon se demanda quel nouveau danger il aurait bientôt à affronter. Alors que les silhouettes célestes se

rapprochaient de lui, il reconnut les Érinyes et se remémora quelques très anciennes légendes à leur sujet.

Les vieux conteurs du royaume d'Omain disaient que ces esprits femelles étaient nés à la création du monde de trois gouttes de sang de la Dame blanche et avaient par la suite été envoyés aux Enfers pour torturer les êtres malhonnêtes et fourbes. Toujours selon ces vieilles histoires, les Érinyes étaient également les gardiennes de la prison des dieux qu'on appelait le Tartare.

Au nombre de trois – Alecto l'Implacable, Mégère la Malveillante et Tisiphoné la Vengeresse –, ces créatures infernales étaient apparemment d'une éclatante beauté. Munis d'ailes de démon, de torches et de fouets, ces êtres légendaires auraient été maintes fois représentés par de grands sculpteurs qui leur avaient aussi consacré d'importants sanctuaires, aujourd'hui perdus ou abandonnés. Dans l'un de ces anciens lieux de culte, il était même mentionné que les trois sœurs chtoniennes rendaient fou quiconque croisait leur regard.

Instinctivement, Amos baissa la tête et eut recours à ses pouvoirs de porteur de masques pour enflammer son corps. Il avait un plan : se faire passer pour un habitant de la rivière de feu.

Amos sentit que les Érinyes se posaient près de lui.

– Qui es-tu et que fais-tu ici, toi? demanda fermement une jolie voix féminine.

– Je suis perdu et je cherche ma mère, mentit Amos.

– Il cherche sa mère? C'est un mensonge! intervint une deuxième voix moins mélodieuse que la première.

– Ferme-la, Mégère! s'énerva une troisième voix. Laisse-le parler…

– Je suis un habitant du Phlégéthon! affirma Amos. J'ai perdu ma mère et…

– Qu'il est mignon, n'est-ce pas, Tisiphoné? s'exclama la première voix. Regardez-le, le petit, tout feu tout flamme et qui cherche sa maman.

Le subterfuge semblait fonctionner. Amos passait pour un habitant de la rivière de feu et, en plus, il réussissait à toucher la fibre maternelle d'une des Érinyes.

– J'ai peur, continua-t-il en gardant la tête baissée pour éviter de regarder les Érinyes.

– Il ment! insista Mégère.

– Ne fais pas attention à elle, répondit doucement Tisiphoné. C'est une vieille bique insensible! N'est-ce pas, Alecto?

– Mais non! Je sais qu'il…, reprit Mégère.

– SUFFIT! trancha Tisiphoné. Laisse Alecto parler avec ce petit être de feu!

Mégère se renfrogna et se retira un peu à l'écart. Amos fut soulagé de voir ses pieds s'éloigner et remercia le ciel de sa chance.

– Ici, mon petit bonhomme de feu, commença Alecto, tu es devant le grand mur qui ceinture le troisième niveau des Enfers.

– C'est cela, confirma Tisiphoné. Et au-delà de cette muraille, c'est le Tartare.

– Ou, si tu préfères, précisa Alecto, la prison des dieux. C'est là qu'on retrouve les géants et les titans qui ont été bannis de la surface de la terre pour leurs mauvaises actions. Il y a le colosse Tityos qui, après avoir été reconnu coupable de viol, s'est vu condamné pour l'éternité à se faire ronger le foie par des vautours.

– Il y a aussi Tantale, ajouta Tisiphoné, un roi trop égocentrique qui est tourmenté par la faim et la soif à la seule vue d'un ruisseau ou d'un arbre fruitier inaccessibles.

– Puis Salomé! lança Mégère d'une voix ragaillardie, qui pourrit vivante parce que c'est une MENTEUSE!

– Quelle enquiquineuse, cette Mégère! grogna Tisiphoné avant de poursuivre l'énumération des damnés du Tartare. Il y a aussi Ixion qui, attaché à une roue enflammée, tourne sans cesse…

– J'aimerais revoir ma mère, murmura le garçon en jouant toujours la corde de la pitié.

– Ne t'inquiète pas, tu la retrouveras bien-tôt, le réconforta Alecto. La rivière de feu est juste derrière le Tartare et nous t'y conduirons.

– Tu es bien tombé, petit bout de flamme! affirma Tisiphoné. Comme nous sommes les gardiennes de la prison, nous pouvons facile-ment te transporter sans danger de l'autre côté du Tartare.

Amos entendit deux terribles claquements de fouet qui lui glacèrent le sang. Il faillit hur-ler et s'enfuir mais, le souffle court et le cœur battant, il ferma les yeux et resta immobile.

– N'aie pas peur, petit bonhomme de feu! le rassura Alecto. Nous allons te soulever à l'aide de nos fouets pour te transporter au-delà des murs du Tartare.

– Nous ne voulons pas nous brûler, tu comprends? lui expliqua Tisiphoné.

– Avant que vous ne procédiez, j'aurais une question, moi! déclara Mégère.

– Ça va! Pose-la, ta question! dirent presque en même temps les deux Érinyes, agacées par l'opiniâtreté de leur sœur.

– Dites-moi, pourquoi un bonhomme de feu se promènerait-il dans les Enfers avec deux gourdes probablement remplies d'eau? L'eau et le feu ne vont pas ensemble, non?

Alecto et Tisiphoné se regardèrent avec éton-nement. Pour une fois, Mégère avait peut-être raison d'être soupçonneuse. Les trois femmes posèrent leur regard sur Amos qui le sentit lourdement peser sur ses épaules.

– C'est parce que…, balbutia le garçon, parce que…

– C'est l'eau de la fontaine de Jouvence ! signala Alecto en humant les gourdes.

– Et il porte la dague de Baal à sa ceinture ! remarqua Tisiphoné, démontée.

– Je vous l'avais dit ! C'est un menteur ! clama Mégère. Un sale menteur qui mérite de pourrir vivant tout comme Salomé !

Le verdict était tombé ! Amos n'avait plus le temps de se justifier, il devait passer à l'action maintenant.

Le garçon tenta de lancer un sort, mais les Érinyes furent plus rapides que lui et leurs fouets l'atteignirent en quelques secondes. En moins de temps qu'il n'en faut à un oiseau-mouche pour s'envoler, le porteur de masques était déjà dans les airs. Les trois gardiennes du Tartare commencèrent alors à jouer avec lui comme s'il s'agissait d'une balle. En utilisant leurs fouets comme des bâtons de jeu, elles se passaient le garçon de l'une à l'autre en poussant des cris de joie hystériques. D'une habile manière, les Érinyes réussissaient à saisir Amos en plein vol et à l'enrouler dans la partie souple de l'instrument avant de le renvoyer à des dizaines de mètres plus loin.

Le jeu dura des heures. Les gardiennes de la prison des dieux s'amusèrent follement jusqu'à ce que Mégère, fatiguée de la compagnie d'Alecto et de Tisiphoné, laisse tomber Amos dans le Tartare.

Le porteur de masques fit une très longue chute libre et toucha violemment le sol du Tartare en se brisant tous les os du corps. Sa peau et ses vêtements lacérés par les fouets, son armure de cuir en lambeaux et le visage défiguré par la terreur, Amos se rappela qu'il était impossible de mourir aux Enfers, que tout n'était que souffrances. Un mal atroce lui traversait tout le corps alors qu'il saignait abondamment par la bouche, le nez et les oreilles. Sous le choc, il était incapable de bouger, ne serait-ce que le petit doigt. Seule la dague de Baal, toujours accrochée à sa ceinture, était demeurée en parfait état. Comme l'avait dit Mégère, il allait sans doute pourrir sur place pour l'éternité.

« Il n'y a plus rien à faire…, pensa Amos. Mes gourdes d'eau de la fontaine de Jouvence sont demeurées de l'autre côté du mur et je ne pourrai jamais les récupérer. Me voilà condamné dans la prison des dieux à souffrir éternellement. »

– Amos, content de te revoir, mon ami! lança une voix discordante tout près de lui.

Le porteur de masques reconnut aussitôt Grumson, mais la douleur l'empêchait d'ouvrir la bouche.

– HOU LÀ! Puisque tu sembles avoir la moitié du crâne défoncée et la mâchoire presque arrachée, ne te donne pas la peine de me répondre! Si tu savais la joie que je ressens à t'accueillir dans ce lieu si… comment dire?… si inhumain! Ha! ha! ha! Tu sais, depuis notre dernière rencontre où ta petite amie la négresse m'a renvoyé aux Enfers, j'ai beaucoup perdu de prestige et mon maître m'a vendu aux Érinyes. Eh oui! je suis devenu l'un des nombreux petits démons sans importance et sans intérêt qui travaillent dans le Tartare à torturer les damnés. Jour après jour, ma tâche consiste à infliger des peines atroces et à entendre les cris d'horreur des pensionnaires de la prison. Quelle horrible tâche! Hé! hé!

Amos aurait voulu répliquer, mais il en était tout à fait incapable. Ses cordes vocales avaient été transpercées par un fragment d'os de sa colonne vertébrale.

– Mais… j'ai une bonne nouvelle pour toi, continua Grumson. Mes collègues tortionnaires et moi allons tout faire pour te guérir. Par contre, lorsque tu seras en forme, nous te martyriserons jusqu'à ce que tu pleures des larmes de ton propre sang! Tu n'as pas idée de l'imagination que nous avons, en plus des machines incroyables que nous possédons, pour accomplir notre travail! Hé! hé!

Quelques alrunes, ces démons inférieurs de la même race que Grumson, transportèrent ensuite le porteur de masques dans une gigantesque prison aux murs gris. À demi conscient à cause de ses blessures, Amos remarqua tout de même que l'établissement n'avait ni cellules ni barreaux. Et pourquoi en aurait-il eu? raisonna-t-il. Le grand mur d'airain érigé tout autour du Tartare était à lui seul une barrière infranchissable. Grumson en tête, le petit groupe avança dans les couloirs de l'édifice.

– Et voici nos formidables machines! fit Grumson à la manière d'un guide touristique excité.

Dans une grande salle lugubre et froide, des dizaines d'alrunes étaient en pleine action et s'affairaient à torturer des damnés. Grumson dut hausser la voix à cause des cris:

– Cette table que tu vois là est un chevalet! On y attache les poignets et les jambes du condamné pour ensuite l'étirer jusqu'à l'écartèlement total! On dit que c'est particulièrement douloureux lorsque les articulations des genoux, des épaules et des coudes se disloquent! Enfin, tu verras bien par toi-même! Là, ce sont...

Grumson montra du doigt une série de sarcophages sur lesquels étaient sculptées des figures grimaçantes toutes plus horribles les unes que les autres.

– ... ce sont les cercueils, poursuivit-il. L'intérieur des couvercles est rempli de grandes aiguilles qui pénètrent la chair des occupants en leur arrachant des cris inhumains. Ce traitement peut durer des semaines entières. On dit que la douleur est impossible à supporter! Enfin, encore une fois, tu verras bien... Je t'ai réservé une place pour tout un mois! Tiens donc! OH! REGARDE LÀ!

Les alrunes qui transportaient Amos lui tournèrent la tête en direction de la cour intérieure de la prison. Dans de grosses marmites chauffées à blanc, des démons faisaient bouillir vivants d'autres condamnés.

– Je tiens à préciser que nous n'utilisons jamais d'eau dans ces grands chaudrons, mais uniquement de l'huile de première qualité! L'huile chaude fait beaucoup plus mal, car elle pince la peau comme des millions de piqûres d'abeilles. Pour tous les condamnés de ce niveau des Enfers, c'est ainsi que débute chacune des magnifiques journées de souffrances et d'horreur. Enfin, ai-je besoin de te dire que tu verras bien ? Pour l'instant, terminons la visite ici…

Les démons laissèrent tomber le corps d'Amos dans une toute petite pièce obscure. Grumson lui passa des fers aux pieds et aux mains, puis l'attacha au sol avec de solides chaînes.

– Même avec l'aide de tes pouvoirs, tu ne pourras pas bouger d'ici, lui chuchota l'alrune Grumson. Tu as fait avorter ma mission sur terre et tu m'as réduit au dégradant travail de bourreau. À cause de toi, j'ai perdu les élémentaux avant d'arriver à El-Bab et j'ai failli à ma tâche. Je jure de te faire payer cent fois le prix de chacune des humiliations que j'ai subies. Tu n'as pas idée de ce qui t'attend, crétin.

Grumson quitta la pièce en laissant seul le porteur de masques.

Le corps d'Amos était en si piteux état que même le masque de la terre n'arriverait pas à le guérir. Pour se sortir de là, le garçon ne pouvait plus qu'espérer un miracle.

8
Phlégéthon

De tous les temps, dans toutes les nations et toutes les cultures du monde de la Dame blanche, le feu a toujours été un élément central de la vie quotidienne et spirituelle des humains et des humanoïdes. Il est une chose précieuse, adorée et souvent entourée d'un respect presque superstitieux. Il symbolise la destruction et la mort aussi bien que la purification et la renaissance. Le feu réchauffe, mais brûle aussi. Il apporte confort et bien-être d'un côté alors que, de l'autre, il est souffrance et douleur.

La puissance magique de cet élément de la nature se manifeste avec violence et provoque souvent des catastrophes. Voilà pourquoi il est l'objet de plusieurs cultes et de nombreuses cérémonies. Comme le soleil, le feu a le pouvoir d'entretenir ou de détruire la vie et c'est pourquoi, au gré des saisons, se tiennent plusieurs fêtes afin d'honorer ses grâces et de gagner ses faveurs.

Pour les magiciens, le feu est un synonyme de dilatation, d'expansion et de transformation. Il est également l'élément que l'on associe à la connaissance et à la lumière. Les prêtres le voient comme porteur de jalousie, de colère, de haine, de passion et de vengeance. Mais il faut également savoir que l'air, la terre et l'eau possèdent eux aussi un aspect positif et négatif. L'univers de la Dame blanche est ainsi construit sur une dualité entre le positif et le négatif, entre le bien et le mal. Mais cela, Amos Daragon le savait déjà.

Dans sa cellule, solidement enchaîné, Amos méditait sur sa mission de porteur de masques. Se voyant ainsi déchu, il avait conclu à son échec. Retenu prisonnier entre les murs du Tartare, plus rien maintenant ne pourrait le sauver. En effet, il était impensable pour un mortel de s'enfuir de là, surtout que l'endroit avait été conçu pour retenir des dieux. Un garçon, même avec des pouvoirs fantastiques, n'arriverait jamais à faire mieux qu'une divinité.

Amos allait bientôt subir les tortures de Grumson et cette pensée le faisait frémir. Le pire, c'était qu'il ne pouvait même pas se défendre. Son esprit était prisonnier d'un corps donc les muscles et les os refusaient de bouger. Le démon allait inévitablement mettre beaucoup de ferveur dans l'exécution de son travail et ainsi hausser d'un cran l'intensité de toutes ses tortures. Soudain, des voix se firent entendre :

– Choisissez-nous, maître, nous sommes un bon peuple ! Un très bon peuple ! dit un petit bonhomme de feu qui dansait devant les yeux d'Amos.

« Mais je le connais, celui-là ! pensa le porteur de masques. Il fait partie des créatures de feu qui se sont libérées de ma magie à Berrion et ensuite à Ramusberget... »

– Nous sommes un bon peuple et n'avons pas de dieu ! insista le petit homme de lave.

Amos soupira.

– Nous avons besoin d'un dieu pour exister officiellement ! Personne ne veut de nous. Pourtant, nous sommes un bon peuple, maître, un bon peuple. Ceux qui ont goûté à la pomme de lumière ont des droits. Nous voulons prier un dieu... Accorde-nous le privilège de te servir... Maître ? Réponds ! S'il te plaît...

Le garçon, défiguré et blessé, aurait souhaité demander des précisions. Il voulait d'abord savoir qui était ce peuple avant d'accéder à sa demande. À la fin de son aventure à Braha, il avait déjà catégoriquement refusé de devenir leur dieu et s'était volontairement détourné de toutes les responsabilités et de tous les privilèges s'y rattachant. Alors, pourquoi ces petits êtres de lave et de feu s'entêtaient-ils à le poursuivre et à le harceler avec cette proposition?

– Deviens notre dieu et nous te sortirons d'ici!

« Il est probablement temps d'accepter leur offre, songea Amos qui trouvait la proposition plus qu'intéressante. Je n'ai absolument rien à perdre et c'est peut-être ma seule chance de quitter cette horrible prison et, par le fait même, d'échapper à Grumson. »

– Choisissez-nous, maître, nous sommes un bon peuple! Un très bon peuple! insista encore et toujours le petit bonhomme.

En rassemblant toutes ses forces, Amos émit un son faible dont la consonance laissait entendre qu'il acceptait. Le petit bonhomme de lave, étonné par ce qu'il venait d'entendre, tomba sur les fesses.

– Vous avez dit oui, murmura-t-il avec émotion. Alors, vous voulez de nous? Vraiment?

Amos battit des paupières en guise d'affirmation.

– Nous sommes un bon peuple! OH OUI! UN BON PEUPLE! cria le petit être de lave, fou de joie, avant de s'enfuir à toutes jambes. Je vais annoncer la nouvelle et je reviens! Je vais au Phlégéthon et je reviens!

Ce qu'Amos ne savait pas, mais qu'il allait bientôt découvrir, c'est l'histoire étrange des habitants de la rivière de feu et du Phénix, leur dieu disparu.

Les Phlégéthoniens vivaient heureux depuis la création du monde et louaient l'Oiseau de feu auquel ils fournissaient par leur dévotion la force de s'immoler et de renaître de ses cendres. Ce dieu aviaire exhibait en permanence la multitude des couleurs du soleil. Parfois d'un doré rougeâtre ou pourpre, ses plumes étaient toujours en feu et brillaient aussi intensément que l'astre de lumière. On disait qu'il pouvait vivre cinq cents ans avant de s'immoler pour renaître ensuite comme un jour nouveau. Amical dans ses relations avec les différentes races du monde, l'oiseau exerçait une véritable fascination sur les humains. Si bien que ceux-ci commencèrent à oublier leurs propres dieux et à construire des temples en l'honneur du Phénix.

Très heureux et reconnaissants de la ferveur religieuse des humains pour leur dieu, les Phlégéthoniens apparurent dans ces temples et enseignèrent aux hommes à maîtriser le feu. Ils leur montrèrent à cuire la nourriture, à chauffer leur demeure et à forger le métal. Ils leur apprirent les bienfaits de cet élément salvateur, mais ils omirent de parler de son côté destructeur et sauvage.

C'est après maintes brûlures, bon nombre de villages calcinés et d'immenses superficies de forêts ravagées que les humains commencèrent à se méfier des Phlégéthoniens et qu'ils capturèrent et tuèrent l'Oiseau de feu. Les petits bonshommes de lave, se voyant sans divinité à adorer, entreprirent des recherches afin de trouver quelqu'un qui fût digne de leurs louanges. Après des siècles de quête, ils avaient découvert le jeune porteur de masques et avaient vu en lui les qualités nécessaires pour devenir un modèle. Il avait certainement toutes les aptitudes pour être un dieu, puisqu'il s'était rendu à Braha et avait croqué dans la pomme de lumière! Et qu'il ait décidé de refuser le titre divin pour redevenir un humain ne les tracassait pas le moins du monde. En fait, les Phlégéthoniens cherchaient quelqu'un ayant la force et la souplesse du feu, un être vif et pétillant. Des qualités que possédait le jeune Amos Daragon.

Comme le feu a besoin de la matière pour son expansion, les Phlégéthoniens avaient besoin d'une idole pour prospérer. Ces petits bonshommes de feu et de lave désiraient servir les humains et humanoïdes du monde. En louant Amos, ils se doteraient d'un nouvel ambassadeur et pourraient peut-être regagner le lustre qu'ils avaient perdu avant la mort du Phénix. C'est pour toutes ces raisons qu'ils avaient poursuivi le garçon depuis son retour de Braha et entrepris de le convaincre d'accepter leur proposition.

– Voici, vénérable dieu, notre offrande divine! clama le petit homme de feu maintenant de retour du Phlégéthon. Mon peuple est très heureux de ton assentiment et nous savons que tu seras un bon dieu.

Le Phlégéthonien déposa alors dans les paumes d'Amos deux citrines jaunes, grosses comme des œufs de poule.

– Ce sont des pierres de puissance de première qualité, précisa-t-il. Ton masque du feu est maintenant complet et tes pouvoirs en seront grandement bonifiés. Ne t'inquiète pas, ces pierres sont bien dosées et tu ne connaîtras pas de déséquilibre magique comme celui que tu as subi à Berrion. Tu sais, nous sommes des experts dans le domaine!

Les pierres commencèrent à se dissoudre dans les mains d'Amos en libérant leur magie. Le garçon sentit alors une chaleur intense l'envahir, mais rien d'intolérable ni même de douloureux. C'était plutôt une sensation de bien-être et de douceur qui se répandait dans tout son être. Amos accueillit ce nouvel état avec bonheur et se laissa bercer par le chuintement des flammes qui rongeaient son corps.

« MAIS JE BRÛLE ! se dit-il en prenant soudainement conscience de ce qui se passait. JE BRÛLE VIVANT ! »

Près de lui, le petit bonhomme de lave était à genoux, bras au ciel, et priait le nouveau dieu.

« Mais je vais me consumer totalement ! continua Amos, paniqué, sans pouvoir s'exprimer. Sans mon corps, mon âme sera prisonnière ici et je ne pourrai jamais retourner chez moi ! Vite, de l'eau ! Il faut faire quelque chose ! »

Le Phlégéthonien, toujours dans une extase mystique, ne semblait pas voir que le corps d'Amos était en flammes. Des centaines de voix accompagnaient maintenant celle du petit bonhomme qui récitait une longue prière aux accents tragiques. D'où venaient-elles exactement, ces voix ? Impossible à dire. Elles résonnaient partout autour d'Amos et semblaient activer sa crémation.

En réalité, c'était tout le peuple du Phlégéthon qui priait de concert avec son émissaire en l'honneur de leur nouvelle idole. Leur dévotion faisait bouillir la rivière de feu comme au temps du Phénix en libérant des gaz inflammables qui explosaient de ferveur et d'adoration. La fusion entre le porteur de masques et les Phlégéthoniens était en train de s'opérer et transformait le garçon en un formidable brasier.

« Tout est terminé maintenant, se lamenta le porteur de masques en son for intérieur. Je sens mes bras qui se détachent de mon corps et mes pieds sont déjà en poussière. Les dieux ont eu raison de moi et ma mission est un échec. En tout cas, j'aurai quand même réussi à atteindre le troisième niveau des Enfers… Pas mal pour un simple mortel. »

Puis Amos ferma les yeux et sa tête roula sur le côté.

– Mais que se passe-t-il donc ici ? s'exclama Grumson, attiré par la fumée. Il est en feu ! Amos est en feu ! Vite ! Amenez-moi de l'eau !

Un alrune s'élança en direction des grandes marmites destinées à faire cuire les damnés et revint avec un seau rempli à ras bord. Grumson s'en empara et, sans penser qu'il s'agissait d'huile et non d'eau, il arrosa généreusement le feu. Une terrible explosion fit voler en éclats une partie de l'endroit et souffla le démon à plusieurs mètres plus loin.

– Mais qui est l'imbécile qui m'a donné de l'huile au lieu de l'eau ? cria Grumson, hors de lui.

Personne ne prit la peine de répondre et les alrunes assistèrent, impuissants, à la crémation complète du garçon. Le porteur de masques finit par se consumer entièrement et ne laissa qu'une fine poussière sur le sol de la prison.

– Voilà ce que nous allons faire, dit Grumson. Même sans son corps, l'âme d'Amos demeurera prisonnière du Tartare. Nous devons la retrouver, la capturer et l'enfermer dans la section de la prison destinée aux tortures psychiques. Il est malin, mais il ne nous échappera pas aussi facilement. Ce petit vaurien croyait sûrement qu'en se débarrassant de son enveloppe de chair, il retrouverait la liberté. Oh non! Il est ici, dans ce plan d'existence, pour y rester. Dépêchez-vous! Allons chercher nos attrapeurs d'âmes et poursuivons-le! Que la chasse commence!

***

Lorsque le feu de la prison du Tartare s'éteignit et que les cendres d'Amos furent refroidies, des dizaines de Phlégéthoniens envahirent discrètement la salle et commencèrent à récupérer, cendre par cendre, les restes du porteur de masques. Ils les placèrent soigneusement dans une urne de diamant, résistante au feu, et quittèrent les lieux sans faire de bruit.

Cérémonieusement, le cortège de petits bonshommes de lave traversa les plaines du Tartare, passa tout près de Sisyphe condamné à l'impossible tâche de faire rouler un rocher jusqu'au sommet d'une montagne, évita habilement le regard des Érinyes en empruntant les gorges du désespoir et termina son expédition en se glissant dans une minuscule fente du mur d'airain de la prison des dieux.

En portant toujours les cendres d'Amos, ils arrivèrent bientôt à la rivière de feu où les attendaient des millions de Phlégéthoniens excités.

9
Le Golem

La nuit était encore noire lorsque Lolya se réveilla. Une vision venait d'éclairer son esprit en lui indiquant comment reprendre contact avec l'âme de Karmakas. Par contre, elle ignorait que ce dernier avait déjà pris possession du corps de sa chauve-souris et que c'était lui qui avait directement inspiré la révélation nocturne.

Depuis quelques semaines, Karmakas, ce grand sorcier nagas qu'Amos avait jadis connu à Bratel-la-Grande, dirigeait secrètement les travaux de la jeune nécromancienne en les manipulant d'une habile façon. Tandis qu'elle cherchait à localiser le porteur de masques, Karmakas corrompait ses potions durant la nuit. Sous son apparence de chauve-souris, il se plaisait à détourner le sens de ses formules, la renvoyant continuellement dans un cul-de-sac magique, l'empêchant ainsi d'atteindre son but.

Évidemment, le nagas avait un plan derrière la tête. Il désirait que Lolya accomplisse, sans s'en rendre compte, le rituel secret du Golem. Cette cérémonie, qui avait le pouvoir d'animer la matière en lui donnant une âme, prenait sa source dans une vieille histoire du folklore des hommes-serpents. On disait que quatre puissants magiciens nagas avaient réussi, longtemps auparavant, à ouvrir une porte éthérée et à pénétrer clandestinement dans le domaine des dieux. Le premier des quatre avait alors découvert de grandes vérités sur la Dame blanche, ce qui lui avait fait exploser le cœur. Le deuxième avait appris d'innombrables choses sur l'âme des mortels et cela l'avait rendu complètement fou. Le troisième, encore trop faible face au divin pour en comprendre les vérités, s'était perdu dans les couloirs du temps alors que, curieusement, le quatrième était retourné parmi les siens rempli d'un savoir quasi encyclopédique et d'une sagesse presque infinie. Le rituel du Golem faisait partie de ces connaissances nouvelles, maintenant accessibles aux sorciers nagas et enseignées de génération en génération.

– Avec le limon de la terre, je dois modeler un Golem de forme humaine, marmonna Lolya, encore tout ensommeillée. C'est ce que je dois faire! C'est dans cette enveloppe de boue que s'installera une âme errante qui pourra m'aider à retrouver la trace d'Amos.

Pour accomplir cette tâche difficile, la jeune nécromancienne avait besoin de la puissance des quatre éléments : le feu, l'air, l'eau et la terre. Elle se leva et appela son familier. La chauve-souris se posa délicatement sur son bras et, toujours sous l'emprise de Karmakas, elle lui sourit malicieusement. Le plan du nagas fonctionnait à merveille.

— Toi, ma belle petite, tu personnifieras l'air au cours d'une cérémonie que j'effectuerai bientôt. Mais avant, tu dois aller me chercher de l'argile que je puisse facilement pétrir. Ensuite, va sur les bords de la rivière et trouve-moi l'endroit le plus approprié pour y recevoir un grand feu. Va et reviens vite !

La chauve-souris, ou plutôt Karmakas, trépigna de joie et s'envola. Personne n'était mieux placé que lui pour désigner l'endroit exact où se tiendrait cette fameuse cérémonie.

Pendant les six jours qui suivirent, Lolya se mit dans un état d'esprit propice à l'accomplissement de sa tâche. Tout près de la petite rivière, elle prépara le lieu de la cérémonie qu'avait déniché son familier, amassa du bois pour y dresser un bûcher sacré et se confectionna une robe blanche à l'aide de fibres de coton. Le septième jour, la nécromancienne fit ses ablutions en respectant une vieille coutume du peuple dogon et se rendit, juste avant le coucher du soleil, au lieu de culte. Elle pria avec ferveur jusqu'à tard dans la nuit, puis commença le rituel en allumant le bûcher.

En chantant des psaumes à la déesse mère, divinité de la Terre et de la Forêt, elle pétrit dans le limon de la petite rivière un corps semblable à celui d'un humain. Elle lui façonna une bouche, un nez, des yeux et des oreilles, donnant ainsi à sa sculpture un visage grossier aux traits prononcés. Puis elle retravailla les jambes, les pieds, les genoux et les mains afin d'améliorer l'allure de son œuvre. Après quelques heures de labeur, le résultat lui parut convaincant. La sculpture représentait un homme couché sur le dos.

– Grand bûcher, feu dans la nuit et lumière dans les ténèbres, récita-t-elle, sèche le limon et cuit l'homme de terre.

Toujours en psalmodiant, la nécromancienne se mit à tourner autour du Golem. Le personnage s'asséssa dès la première rotation et, au septième tour de Lolya, il devint aussi brûlant que de la braise.

– Petite rivière, sang de la terre qui donne la vie, continua-t-elle, trouve ton chemin à travers ce corps et anime-le de ta vitalité.

Lolya s'arrêta un instant avant de recommencer son manège tout en aspergeant le Golem de gouttelettes d'eau provenant de la rivière. Au premier tour, le Golem se refroidit en laissant échapper de petites bouffées de vapeur. Pendant les autres révolutions de la sorcière, lui poussèrent des ongles, des cheveux, et sa peau se colora d'un blanc osseux.

C'est alors que Lolya modela une petite plaque de glaise et y grava une formule secrète que lui avait dictée sa vision. Elle dansa de nouveau autour du Golem en invoquant cette fois les puissances de la terre et lui glissa le nouvel objet magique dans la bouche, juste sous la langue. Enfin, la chauve-souris fit elle aussi sept révolutions autour du Golem afin d'y faire pénétrer l'air. À la fin de cet exercice alliant les forces des quatre éléments, la nécromancienne hurla :

– LA NATURE A PÉTRI L'HOMME DU LIMON DE LA TERRE ET DOIT MAINTENANT LUI INSUFFLER LA VIE !

À cet instant, l'âme de Karmakas, prisonnière dans le corps de la chauve-souris, fut aspirée dans le Golem et se mit à respirer. Puis l'homme de limon ouvrit les yeux et s'appuya sur son coude afin d'examiner son corps. Content, il sourit à Lolya qui ne s'y attarda pas.

– LÈVE-TOI ET MARCHE ! lui ordonna-t-elle.

Le Golem s'exécuta lentement en se levant sur ses deux jambes. Chacun de ses mouvements était lourd et maladroit.

— Tu es né d'une vision, lui dit Lolya. Une vision que m'a inspirée la nature afin de m'aider à retrouver, dans les mondes astraux, quelqu'un qui m'est cher. À partir de ce jour, tu devras me protéger et…

L'homme de limon à qui elle venait d'insuffler la vie s'avança et la frappa violemment au visage.

— Crois-tu pouvoir me… me siii, me diriger? grogna le Golem de sa voix rocailleuse. C'est moi, le grand Karmakas, illustre sorcier nagas qui siii… qui fut capturé et tué par les sirènes, jugé à Braha, puis envoyé aux tourments du grand hall de siii… de l'angoisse par Seth et qui aujourd'hui reviens à la siii… à la vie! C'est moi, idiote, qui siii… qui t'ai inspiré cette cérémonie et qui te manipule depuis que tu m'as repêché de ma chute vers siii… vers l'enfer!

Lolya, quoique étourdie par la gifle reçue, se releva pour riposter, mais son adversaire fut plus rapide. Un deuxième coup au visage la propulsa à plusieurs mètres dans les airs. La nécromancienne fit deux culbutes et heurta de plein fouet un arbre avant l'atterrissage. Elle demeura au sol, assommée et légèrement blessée.

– Je suis revenu reprendre ma place dans ce siii... dans ce monde! continua Karmakas. Mais cette fois, cela se fera sans siii... sans l'aide de Seth! Crois-tu, petite sorcière de bas étage, que j'allais me siii... me contenter du corps d'une simple petite siii... d'une petite chauve-souris? Non! il me fallait quelque chose de plus siii... de plus solide! D'INDESTRUCTIBLE!

La jeune Noire roula sur le côté et entrouvrit les yeux. Un sourire éclaira soudainement son visage.

– Qu'est-ce qui t'amuse, fillette? demanda Karmakas en avançant vers elle. Tu n'as aucune raison de sourire, car je vais te tuer. Je te briserai le cou et te piétinerai le corps jusqu'à ce qu'il soit méconnaissable.

Lolya sourit de plus belle et une larme de joie coula sur sa joue. Elle leva simplement le doigt pour indiquer au Golem quelque chose derrière lui.

Karmakas se retourna.

Il vit, à quelques mètres de lui, un authentique dragon aux yeux injectés de sang, au souffle brûlant et aux crocs démesurément grands, qui le dévisageait avec insistance.

– Je crois que vous avez fait mal à ma sœur! lança la bête de feu avec une rage contenue.

– Siii... votre... siii... votre sœur? balbutia l'homme de limon en reculant d'un pas.

– Oui, ma sœur! affirma le dragon en expirant deux nuages de fumée par les narines.

– Maelström! fit faiblement Lolya. Comme tu as grandi! Comme c'est bon de te revoir…

– Bonsoir, répondit tendrement la bête à sa protégée. Je suis tellement heureux de te revoir! Il y a longtemps que je te cherche…

Le Golem s'éloigna encore un peu, essayant de se faire oublier.

– Excuse-moi, belle Lolya, reprit Maelström, je reviens tout de suite!

La bête de feu poussa un cri de rage qui fit frémir les habitants de la forêt à des kilomètres à la ronde et s'élança à la vitesse de l'éclair sur Karmakas. Le dragon ouvrit sa gueule et libéra un jet de flammes qui propulsa le Golem à quelques dizaines de mètres devant lui. Cependant, le nouveau corps de limon du nagas était insensible au feu.

Maelström fit un prodigieux bond et saisit son ennemi entre ses dents. Avec une force extraordinaire pour un jeune dragon, il lança Karmakas dans les airs et s'envola à sa suite. Il le rattrapa en plein vol et, de quelques battements d'ailes, atteignit les nuages. Malgré sa puissance, le prisonnier fut incapable de se libérer de la vigoureuse poigne du dragon et fit une vertigineuse ascension.

– J'espère que tu sais voler! lança Maelström au Golem juste avant de le larguer.

– Unissons nos forces! proposa Karmakas. Si tu voulais, nous siii… nous pourrions siii… non! NON! ÉCOUTE! Siii… AAAAAAAAAAAAH!

– Bonne descente! trancha le dragon en le laissant tomber.

Maelström se dépêcha de rejoindre Lolya au sol. La jeune fille dormait, épuisée par son aventure. Le dragon s'enroula autour d'elle et, comme une chatte avec ses petits, lécha ses plaies.

Lolya sursauta.

– Dors, petite sœur, lui murmura Maelström. Dors sur tes deux oreilles… Je suis là maintenant pour te protéger et rien ne pourra plus nous séparer.

– Mais comment as-tu fait pour me retrouver?

– Simplement par chance! avoua le dragon. Je survolais les environs à ta recherche et j'ai vu un grand feu plus loin dans la forêt. Ma curiosité m'a poussé à m'en approcher et je t'ai aperçue.

– Tu m'as sauvé la vie, Maelström, chuchota Lolya, reconnaissante.

– Alors, nous sommes quittes! Grâce à toi, j'ai un nouveau cœur… J'étais mort et tu m'as ressuscité! La prochaine fois, je te laisserai te débrouiller seule, c'est promis! répondit la bête de feu en riant.

— Tu sais qu'Amos est…

— Je sais cela, oui…, l'interrompit le dragon. Béorf m'a tout raconté et je suis là pour vous réunir tous. Dors, maintenant! Je surveille les lieux. Demain, nous prendrons tes affaires et partirons à la recherche de Médousa.

— Je peux te confier quelque chose, Maelström? demanda la jeune nécromancienne en bâillant.

— Oui, bien sûr.

— Je crois qu'il n'existe pas dans ce monde un sentiment de sécurité plus grand que celui qu'on ressent en dormant entre les pattes d'un dragon qui vous aime!

Maelström, également heureux d'avoir retrouvé sa sœur Lolya, la câlina du bout de son museau puis le posa afin de la réchauffer avec son souffle. Il ferma ensuite les yeux et sourit de béatitude. Pour la première fois de sa jeune existence, il venait de prouver sa valeur. Geser Michson, son père, serait fier de lui!

10
Phénix Daragon

Le grand prêtre s'avança.

– Le feu est partout! lança-t-il d'emblée aux milliers de Phlégéthoniens rassemblés sur l'île sacrée de la rivière de feu. Il est sur la terre et dans les cieux! Il est autour de nous, tous les jours! Il est une réalité physique autant que spirituelle. Nous sommes son peuple et nous sommes un bon peuple!

– Il est vrai que nous sommes un bon peuple, répondirent en chœur les fidèles. Oui, nous sommes un bon peuple!

– Le feu est connu de tous, continua le prêtre. Il est connu de toutes les créatures qui vivent au sein et hors des Enfers! Mais attention! Il est à la fois bon et mauvais, source de vie et source de mort! Il est la haine qui se consume et il est la brûlure de l'amour! Oh oui, je vous le dis, nous sommes un bon peuple!

– OH OUI! répétèrent les Phlégéthoniens, NOUS SOMMES UN BON PEUPLE!

– NOUS SOMMES, PEUPLE DU PHLÉ-GÉTHON, beugla le petit prêtre de lave exalté, UN BON PEUPLE ! Et vous avez raison de le croire.

Le célébrant saisit l'urne qui contenait les cendres d'Amos et l'ouvrit d'un geste théâtral. Il versa les restes du porteur de masques sur un petit autel et demanda aux fidèles de se prosterner. Les Phlégéthoniens s'agenouillèrent et, dans un murmure, entamèrent une prière à l'unisson :

– Le feu éclaire, le feu réchauffe, le feu rayonne.

Ils poursuivirent, un ton plus haut :

– Le feu purifie, le feu nettoie, le feu délivre.

Puis, encore plus fort, ils enchaînèrent :

– Le feu apaise, le feu exulte, le feu transforme !

– Nous avons la mission de toujours maintenir le feu allumé, renchérit le prêtre, du feu de l'éclair dans la nuit au feu qui anime l'âme des vivants, du feu qui brûle l'intérieur des montagnes au feu qui réchauffe les jours d'hiver. Et aujourd'hui, le feu s'incarne dans l'homme, et l'homme se marie avec le feu. Prions pour que le miracle de la résurrection se reproduise et louons celui qui porte la flamme en lui. OH OUI ! NOUS SOMMES UN BON PEUPLE !

D'une seule et même voix, les Phlégéthoniens poursuivirent:

– Esprits maîtres du feu divin, créateurs de vie, flammes de lumière et d'énergie! Nous formulons le souhait de voir jaillir la vie de la poussière et la chair du néant. Accorde-nous cette grâce!

Tout en intensifiant l'ardeur et le rythme de la prière, les petits bonshommes de lave communiquèrent leur énergie aux cendres du porteur de masques qui commencèrent à s'animer. Comme un petit volcan, les restes d'Amos se mirent à bouillonner et à cracher du feu jusqu'à ce que, d'un coup, ils explosent en reconstituant son corps tout entier.

Devant le spectacle, les Phlégéthoniens hurlèrent de joie et se jetèrent dans les bras les uns des autres. Au milieu de cette fête, Amos ouvrit les yeux et recouvra la vie. Voilà qu'il était debout sur l'autel et que des milliers de petits hommes de feu dansaient et chantaient tout autour de lui. Le porteur de masques s'aperçut qu'il se trouvait sur une île, juste au centre d'un large fleuve de lave. Le liquide en fusion bouillonnait en laissant échapper des vapeurs explosives qui s'enflammaient violemment.

– Que se passe-t-il ici? se demanda le garçon à voix haute.

– Comme le Phénix, vous êtes revenu à la vie! lui répondit le prêtre. La force du Phlégéthon et de ses habitants coule maintenant en vous. Nous ne faisons maintenant plus qu'un!

– Je ne comprends pas, fit Amos, interloqué. Vous… vous me dites que j'étais mort et que je suis… ressuscité?

– Comme le Phénix, mon garçon! répéta le prêtre en levant les bras au ciel. Le feu est en toi! Ton âme et ton corps, tes vêtements ainsi que ta dague se sont consumés afin de renaître à la vie.

– Je n'arrive pas à y croire. J'ai eu l'impression de dormir profondément puis…

– Mesure maintenant l'étendue de tes pouvoirs! Montre-nous ta puissance sur la matière! Faites place! FAITES PLACE! NOTRE NOUVEAU PHÉNIX VA S'EXPRIMER!

Les Phlégéthoniens reculèrent et se placèrent de façon à créer un passage jusqu'à la rivière de feu. Hésitant, Amos descendit de l'autel et, à l'invitation du prêtre, il marcha jusqu'au bord du Phlégéthon.

– Que dois-je faire maintenant? chuchota-t-il au premier petit bonhomme de lave à côté de lui.

– Tu dois séparer les eaux, répondit-il discrètement.

– Séparer quoi? dit Amos en avalant de travers.

– Les eaux! reprit le petit homme. Les eaux du fleuve! Il faut les séparer!

– Et comment je fais?

Pour toute réponse, le Phlégéthonien haussa les épaules et fit la moue. Après tout, ce n'était pas lui, le Phénix! Il voulait bien aider son nouveau dieu dans ses fonctions, mais de là à savoir comment s'y prendre pour séparer les eaux, alors là, non!

Amos sentit peser sur lui le poids du regard de milliers de fidèles qu'il ne pouvait laisser dans l'expectative. Il ravala sa salive et c'est la gorge serrée qu'il considéra la rivière de feu.

«Il faut que je réussisse à séparer les eaux, se dit-il en toussotant. Sinon il y aura beaucoup de déçus…»

Le porteur de masques fit le vide dans son esprit et concentra son énergie de manière à faire jaillir en lui la magie du feu. Y arrivant avec une étonnante facilité, il éprouva pour la première fois une parfaite maîtrise de l'élément. Il exerçait un contrôle complet sur la matière et sentait bouillir en lui la force du soleil. Confiant d'offrir aux membres de l'assemblée le miracle qu'ils attendaient tous, Amos, sans faire de grands gestes ni élever la voix, dit simplement:

– Phlégéthon… laisse-moi passer.

Comme s'il y avait un tremblement de terre provoqué par les dieux, le troisième niveau des Enfers vibra de partout. Même les murs du Tartare, pourtant solides et pratiquement indestructibles, essuyèrent un choc qui les fit se fissurer à plusieurs endroits. Les eaux de la rivière de feu se cabrèrent comme un cheval en furie, créant ainsi des vagues gigantesques. Commencèrent alors à tomber du ciel des météorites enflammés, dessinant dans les airs de grandes déchirures écarlates.

– Phlégéthon…, répéta Amos. Laisse-moi passer.

Encore une fois, la rivière de feu redoubla d'ardeur et libéra cette fois de terribles gaz toxiques. On aurait dit que le Phlégéthon refusait de se soumettre et que cette crise avait pour but de tenir tête au porteur de masques. Des vagues de lave immenses se formèrent et menacèrent d'engloutir l'île des Phlégéthoniens. Mais Amos ne se laissa pas impressionner par cette manifestation de rage. Il demeura calme et imperturbable, laissant la capricieuse rivière faire étalage de sa puissance. Lorsqu'il en eut assez de ce tumulte aux allures apocalyptiques, Amos se reprit une dernière fois :

– Phlégéthon… je t'ai ordonné de me laisser passer.

En moins d'une minute, la tempête cessa et le troisième niveau des Enfers redevint paisible. Un calme presque banal remplaça les excès de la rivière de feu. Comme un chien qui baisse sa garde et demande grâce à son maître, le Phlégéthon se soumit à la volonté d'Amos en cessant toute manifestation d'hostilité. Puis les eaux de la rivière se séparèrent en deux, livrant ainsi un passage au porteur de masques.

Devant le spectacle, les petits bonshommes de lave explosèrent de joie. Ils avaient eu raison de choisir Amos comme divinité. Il les représenterait bien, car il avait la force morale nécessaire pour accomplir des miracles.

Content de lui, Amos se retourna et salua le peuple des Phlégéthoniens avant d'emprunter le passage vers l'autre rive. Des murs de lave s'élevèrent de chaque côté du porteur de masques qui, craignant de les voir se refermer sur lui, pressa le pas pour arriver le plus vite possible de l'autre côté.

Après les longues minutes que dura la traversée, il atteignit le quatrième niveau des Enfers. Le garçon fut heureux de trouver en bordure de la rivière ses deux gourdes d'eau de la fontaine de Jouvence. Il voulut en boire, mais constata qu'elles étaient gelées. Tout à coup, le Phlégéthon se referma derrière lui et le laissa les deux pieds dans la neige. Ce nouvel enfer était un enfer glacé !

***

Dans plusieurs cultures, majoritairement nordiques, l'enfer est représenté comme une perpétuelle tempête de neige où le gel brûle la peau blanchâtre des damnés. Le froid s'attaque au corps en ralentissant la circulation du sang pour figer dans la douleur les doigts et les orteils. Ces gelures entraînent la lente destruction des tissus qui se fendillent et font tomber le nez ou les oreilles. L'activité métabolique ne pouvant compenser la perte de chaleur du corps, il s'ensuit une détérioration qui s'accompagne de frissons constants et d'horribles claquements de dents.

Dans l'impossibilité de se construire un abri ou encore de faire du feu, les âmes condamnées à l'enfer de glace se voient constamment exposées à la rudesse du vent, au froid de la neige et à l'implacable rigueur de la température. Couverts de plaques blanches, ces prisonniers du gel errent dans le quatrième niveau des Enfers à la recherche d'un peu de chaleur pour apaiser leurs souffrances.

C'est dans ces conditions extrêmes que le porteur de masques poursuivit sa route vers l'inconnu. Contrairement aux damnés impuissants à lutter contre ces rigueurs, Amos avait dans son sang la puissante magie du feu qui, de pas en pas, réussissait à faire fondre la neige autour de lui. Complètement immunisé contre le froid, son corps était même parvenu à faire dégeler l'eau dans ses deux gourdes.

Çà et là, dans le paysage blanc et bleu, les damnés, comme des bateaux à la dérive, avançaient en grelottant. Ces pauvres esprits, de la neige parfois jusqu'à la taille, frissonnaient de toute leur âme. Certains avaient les cheveux et la barbe complètement glacés alors que d'autres, presque nus, pleuraient des larmes de givre. Des femmes, moins nombreuses, restaient immobiles, essayant de capter un peu de chaleur dans un châle ou un quelconque vêtement de fortune. Personne ne semblait avoir remarqué la présence d'Amos et de ses irradiations bienfaitrices. Personne sauf…

– Que fais-tu là, toi ? demanda soudain une voix glaciale.

Devant le porteur de masques se tenait un géant couvert de verglas.

– Je cherche ma route vers la cité infernale ! révéla le garçon, étonné mais ravi de cette apparition. Peux-tu m'aider ?

– Non, je ne peux pas, répondit le colosse enneigé. Seul mon maître, dans le palais de glace, a le pouvoir de te faire quitter cet endroit. Mais dis-moi, qui es-tu ?

– Je suis Amos Daragon, fils de Frilla et d'Urban Daragon et je suis porteur de masques.

– Moi, je suis Dmir, fils d'Ymir, père de tous les géants de glace. Je suis né de la sueur de ses aisselles, tout juste avant que les dieux ne façonnent le monde avec son corps. Après qu'ils l'eurent sauvagement assassiné, la chair de mon père devint la terre et ses os, les montagnes. Sa mâchoire et ses dents se muèrent en rochers et en pierres alors que de son sang naquirent les fleuves, les mers et les océans. L'intérieur de son crâne devint la voûte céleste, et les asticots qui rongeaient son cadavre formèrent le peuple de korrigans.

– Quelle histoire ! dit Amos, impressionné.

– Ce n'est pas une histoire, c'est la vérité ! corrigea froidement le géant en levant l'une de ses énormes jambes.

Amos se raidit comme un piquet lorsque le géant baissa le pied au-dessus de lui. Il concentra la magie du masque du feu au-dessus de sa tête pour créer un dôme de chaleur extrême. Comme une écharde s'enfonce dans la main du charpentier, le garçon traversa le pied du géant en liquéfiant deux de ses orteils. Le colosse de glace venait de marcher sur des charbons ardents et hurla de douleur avant de tomber à la renverse. Stimulé par la force de ses pouvoirs, le porteur de masques fut submergé par une folle envie de réduire son ennemi en vapeur. Tiraillé entre la raison et ses émotions, il tenta de se calmer, mais une deuxième attaque du géant, qui le menaçait cette fois avec la main, le convainquit qu'il valait mieux en finir avec lui.

C'est alors qu'Amos se mit à vomir de la lave entre ses mains. Suivant son instinct, il la modela en projectiles dont il bombarda ensuite de toutes ses forces la tête et l'abdomen du géant. Les sphères brûlantes traversèrent le titan en un rien de temps et le blessèrent mortellement. Dans un nuage de vapeur, le colosse se tordit de douleur jusqu'à ce que le porteur de masques lui lance une dernière attaque.

Amos bondit sur le ventre de son ennemi et s'enflamma comme une torche. Il s'enfonça alors dans l'abdomen du géant de glace puis… se fit exploser! Toutes les molécules du corps du garçon éclatèrent avec violence en pulvérisant du même coup l'humanoïde! Un bruit sourd se fit entendre et des millions de cristaux de glace retombèrent au sol. Dans la neige, il ne restait maintenant plus qu'un tas de cendres et deux gourdes d'eau.

Comme jadis le Phénix l'avait fait, la désintégration d'Amos lança un signal psychique et appela les Phlégéthoniens à la prière. Ceux-ci se rassemblèrent de nouveau sur l'île sacrée et recommencèrent le rituel de la résurrection. Ils refirent les mêmes prières et les mêmes incantations suivies des mêmes mouvements de dévotion. La rivière de feu se cabra une fois de plus en libérant la magie du feu.

– Esprits maîtres du feu divin, créateur de vie, flammes de lumière et d'énergie! Nous formulons le souhait de voir rejaillir la vie de la poussière et la chair du néant. Accorde-nous cette grâce!

Ils répétèrent cette prière encore et encore, jusqu'à ce qu'elle rejoigne les cendres de leur dieu et active sa renaissance.

– Esprits maîtres du feu divin, créateur de vie, flammes de lumière et d'énergie! Nous formulons le souhait de voir rejaillir la vie de la poussière et la chair du néant. Accorde-nous cette grâce! firent-ils toujours d'une seule et même voix.

L'éternelle tempête de neige du quatrième niveau des Enfers avait en très peu de temps recouvert les restes d'Amos. Sous le manteau blanc, les cendres froides du garçon se réanimèrent brusquement. Elles s'échauffèrent puis, lentement, se mirent à bouillonner.

– Esprits maîtres du feu divin, créateur de vie, flammes de lumière et d'énergie! Nous formulons le souhait de voir rejaillir la vie de la poussière et la chair du néant. Accorde-nous cette grâce! lancèrent une dernière fois les Phlégéthoniens de l'île sacrée avant que, une fois de plus, le miracle ne se produise.

Amos surgit de sous la neige et respira un bon coup. Glacé par le vent mordant, il chercha autour de lui les gourdes contenant l'eau de la fontaine de Jouvence. Rien, il ne vit rien! Le garçon avait besoin de cette eau pour refaire ses forces et combattre le froid. Ses précédentes attaques et sa deuxième résurrection l'avaient complètement épuisé.

«Il me faudra faire plus attention, pensa-t-il. Plus je m'éloigne du Phlégéthon, plus la magie du feu et les prières des Phlégéthoniens mettent du temps à me rejoindre. La force du feu a des limites, surtout dans cet environnement! De plus, je me suis encore laissé emporter par mes émotions! Contrairement aux autres fois, je sais que je n'ai pas mal maîtrisé la magie… Cette fois-ci… j'ai… j'ai pris plaisir à tuer!»

Le porteur de masques, grelottant, tomba à genoux dans la neige.

«Je ne sais pas ce qui m'arrive, se dit-il, mais j'ai aimé tuer! Qu'est-ce qui se passe en moi? J'ai adoré réduire en miettes ce géant! Quel plaisir que d'humilier ceux qui entravent notre chemin... Quelle joie de les dominer pour ensuite les réduire en bouillie!»

Puis Amos cessa de grelotter. La neige autour de lui avait fondu, faisant apparaître ses gourdes de la glace. Mais, malgré lui, il venait de découvrir une autre source inépuisable de force: la haine. Cette colère intense doublée de désirs malveillants était un puits sans fond d'énergies noires.

«Je suis comme le feu, réfléchit Amos. Aussi fort et destructeur que lui. Si je me laisse aller, je deviendrai comme Grumson... et ça, je ne veux pas! Je dois me reprendre. J'ai perdu l'équilibre, *mon* équilibre!»

11
Orobas et les marais de la colère

Amos marchait dans la neige depuis un bon moment lorsqu'il vit se profiler au loin un gigantesque palais de glace. Le porteur de masques bifurqua et avança dans sa direction.

De fabuleux murs sculptés dans la neige formaient une paroi extérieure bleue miroitante. Sur un chemin de ronde protégé par un parapet, des gardes velus aux allures de grands singes blancs marchaient lentement en scrutant le paysage. Ils allaient et venaient d'un pas lent et régulier d'une poivrière à l'autre.

Du centre de cette enceinte pointait un donjon en forme de stalagmite qui transperçait les plus bas nuages.

« Cette tour maîtresse, pensa Amos, est certainement la demeure du seigneur de ce niveau des Enfers. J'espère qu'il me recevra... Je ne pense pas pouvoir continuer mon chemin et passer à l'autre niveau sans sa permission. »

En s'approchant de la fortification, le garçon remarqua que les murs comptaient des milliers d'archères. Une colossale barbacane trônait au-dessus de la porte, ainsi que plusieurs redoutes et une herse de bois. Dès qu'Amos fut en mesure de voir la cour intérieure de l'autre côté de la grille, un garde posté sur la muraille le héla et lui indiqua une poterne bien cachée sur le bas-côté. Le porteur de masques s'y rendit et la petite porte secrète s'ouvrit alors. Il emprunta un passage étroit menant, à travers les murs de glace, à l'intérieur de l'enceinte. À la sortie du créneau, un autre garde lui montra la porte du donjon.

Plus tôt, en traversant la cour, Amos avait remarqué que les soldats du château ressemblaient à de grands primates aux poils démesurément longs. Ils portaient armes et armures comme des hommes, mais ils avaient dans le regard quelque chose d'hostile et d'inhumain. Des commissures de leur bouche s'écoulait en permanence du sang qui tachait leur pelage blanc.

La porte du donjon se referma d'elle-même lorsque le garçon y eut pénétré. Il dut encore monter un interminable escalier en colimaçon avant d'atteindre une vaste pièce, probablement le sommet de la tour. Là, un homme à tête de cheval, dont le corps était lui aussi couvert de longs poils, l'accueillit.

– Entre et assieds-toi, dit-il froidement. Je suis Orobas, grand prince de l'enfer de glace et je connais le présent, le passé et l'avenir.

– Bonjour, répondit le porteur de masques mal assuré en prenant place dans un fauteuil. Je m'appelle Amos...

– ... Daragon, l'interrompit Orobas en s'installant dans une bergère près de lui, oui... je sais !

– Si vous connaissez le présent, le passé et l'avenir, demanda Amos, vous devez sûrement savoir pourquoi je me trouve ici ?

– Ce doit être pour t'excuser d'avoir tué mon gardien..., plaisanta le prince.

– Pas vraiment, répliqua le garçon. Je suis ici pour...

– ... pour me demander de passer au cinquième niveau des Enfers et poursuivre ton odyssée vers la cité infernale, n'est-ce pas ? lui lança Orobas.

– C'est bien cela.

– Et moi, sais-tu pourquoi je t'attendais ? Parce que, puisque je vois l'avenir, je sais que tu atteindras le prochain niveau ; or, je n'arrive pas à voir comment tu y parviendras ! En attendant, je t'expose un problème apparemment insoluble, mais qui t'ouvrira le passage vers le cinquième niveau, c'est-à-dire les marais de la colère, si bien sûr tu arrives à le résoudre…

– Bon, quelle est donc cette énigme?

– Je savais que tu dirais cela…, fit Orobas en rigolant. J'ai demandé à mes soldats de te laisser venir jusqu'à moi, car ma curiosité est très grande! Je trépignais d'impatience à la seule idée de te rencontrer! En réalité, ce n'est pas une énigme, mais un véritable piège! Si tu réussis, je te laisse continuer ton chemin, sinon… eh bien, sinon rien! Je sais déjà que tu réussiras!

– Je suis prêt…

– Très bien. Écoute ceci! Comme je connais le présent, le passé et l'avenir, pose-moi une question sur un événement présent, passé ou futur, mais une question à laquelle je ne pourrai pas répondre. Prends tout ton temps… j'attends!

Amos se raidit sur son fauteuil et réfléchit.

«Chaque problème possède en lui sa propre solution, raisonna-t-il. Il suffit de l'aborder autrement qu'on nous le présente et de le considérer sous un nouvel angle. Voilà, je ne peux pas poser de questions sur le passé ni sur l'avenir, puisque l'un et l'autre présentent des champs de connaissances trop vastes. Il me reste donc le présent et, pourquoi pas le présent immédiat? Il faudrait que je réussisse à le coincer dans… Mais oui! Je sais!»

— Alors? demanda fébrilement le prince. Je vois dans tes yeux que tu as trouvé la question à me poser. Allez, vite! Moi qui suis censé tout savoir, je suis impatient d'apprendre quelque chose de nouveau…

— Si je récapitule, commença le garçon, je dois vous poser une question sur le passé, le présent ou le futur à laquelle vous ne pourrez pas répondre?

— C'est bien cela, mon garçon…

— Et comme vous connaissez *tout* sur l'histoire du monde, *tout* sur le moment présent et *tout* sur les événements à venir, vous devriez normalement pouvoir répondre à toutes les questions que l'on vous pose?

— Effectivement, jeune homme!

— Donc, continua Amos, la prochaine réponse à laquelle vous répondrez sera-t-elle «non»?

Orobas s'apprêtait à répondre «oui», mais il s'interrompit brusquement, bouche bée. S'il répondait «oui», sa réponse ne serait de toute évidence pas «non»! Il ne pouvait pas dire «oui» pour dire «non»! Mais pour répondre «non», il fallait répondre «oui» à cette question!

Le démon révisa la question mentalement:

«La prochaine réponse que je donnerai est-elle "non"? Je ne peux pas répondre "non" puisque pour dire "non" à la question, il me faudrait répondre "oui"! Et je ne peux pas dire "oui" parce que si je dis "oui" la "prochaine réponse" ne sera pas "non"!»

– Alors? lança Amos en ricanant. C'est oui ou c'est non?

Le démon ne pouvait plus parler! Il était béat d'étonnement. Orobas avait beau se passer et se repasser le problème dans son esprit, il arrivait toujours au même raisonnement! Il lui était impossible de répondre à cette question… Amos avait gagné.

Orobas se leva, se dirigea vers l'unique fenêtre de son donjon et fit un signe à l'un de ses soldats. Amos et lui attendirent ensuite en silence avant qu'une dizaine de guerriers à poils longs n'entrent dans la salle. Supposant qu'ils étaient là pour l'escorter hors de ce niveau des Enfers, Amos se leva et salua Orobas. Sans le regarder, le démon fit à son hôte un petit signe de la tête et le renvoya d'un furtif geste de la main. Le porteur de masques quitta ainsi le palais de glace et c'est sous bonne garde qu'il fut conduit non loin des murailles.

Les soldats d'Orobas s'arrêtèrent tout près d'un trou grand et profond surmonté d'une grille de métal. Il émanait de ce tunnel une odeur pestilentielle insupportable. Il s'en dégageait aussi une chaleur humide qui faisait fondre la neige et la glace tout autour de l'ouverture.

Les créatures du prince soulevèrent la grille et l'un d'eux poussa violemment Amos, qui perdit l'équilibre et tomba dans le trou. Le grillage se referma tandis que, en chute libre, le porteur de masques se demandait s'il allait réussir son atterrissage !

***

Ainsi que l'avait dit Orobas, le cinquième niveau des Enfers portait le nom de « marais de la colère ». Le Cocyte, aussi symboliquement appelé « torrent des lamentations » parce qu'il était composé des larmes des désespérés, traversait ce plan d'existence en son centre. Cette rivière souvent gonflée par des vagues de pleurs inondait les alentours. Le niveau des terres humides, qui retenaient périodiquement l'eau de surface, variait selon les marées de chagrin, les inondations de tristesse, les débordements de mélancolie et l'écoulement naturel des peines quotidiennes. Pareille aux larmes humaines, l'eau y était légèrement salée.

Dans cet habitat humide d'amertume et d'accablement poussaient diverses mousses gluantes ainsi que plusieurs plantes toxiques rares. Cette mosaïque d'îlots de végétation et d'espaces vaseux était composée de longues herbes aux contours tranchants, d'iris de courroux jaunes à trois pétales, de nénuphars de rage aux délicates fleurs du mal, de nymphéas de fureur parsemés d'épis d'angoisse et d'une multitude de roseaux regimbeurs.

Sur les rives du Cocyte errent les âmes des morts sans sépulture ainsi que celles des coléreux. Des hommes et des humanoïdes, mâles et femelles, s'y affrontent continuellement à grands coups d'épée ou de hache. On s'y insulte comme on respire et l'adage «œil pour œil dent pour dent» prend ici tout son sens. Les corps des damnés sont mutilés, si bien qu'ils ressemblent souvent à des morts vivants se décomposant sur pied. Dans ce niveau des Enfers, jamais personne ne vient au secours de quiconque et chacun vit pour soi en essayant d'éliminer autrui. On assiste à des scènes de violence extrême où les damnés se martyrisent entre eux sans repos. Comme personne ne meurt jamais, les combattants se livrent une guerre éternelle et, par conséquent, ne trouvent jamais la paix.

C'est dans ce lieu terrifiant qu'atterrit finalement Amos Daragon. Heureusement, sa chute fut amortie par une jonchaie bien

épaisse et le garçon ne se blessa que légèrement. Pataugeant pour essayer de reprendre
pied, il vit en levant les yeux une horrible
femme qui brandissait une lance de guerre.
Utilisant instinctivement ses pouvoirs sur
l'eau, le porteur de masques se créa vite un
bouclier liquide qu'il plaça devant lui. Aussitôt, la pointe de l'arme ennemie se ficha
dans le bouclier d'eau qui évita au garçon
une blessure mortelle à l'abdomen. Amos
décida de riposter. Il saisit alors la dague de
Baal à sa ceinture et l'enfonça dans la cuisse
de son adversaire. L'arme libéra sa puissante magie, et la femme tomba en poussière instantanément.

Juste derrière Amos, un guerrier qui avait
l'air d'un Viking préparait son attaque. Sa
hache, haute dans les airs, allait redescendre
pour lui trancher la tête lorsque le garçon
l'aperçut. D'un simple claquement de doigts,
le porteur de masques enflamma le damné
qui hurla longtemps de douleur avant de
s'effondrer.

– Mais que se passe-t-il ici? se dit à voix
haute Amos en balayant du regard les environs.
Quelle mouche les a piqués, ceux-là? Ah non,
en voilà d'autres!

Des dizaines de morts vivants se diri-
geaient vers lui en l'encerclant. Tout comme

Amos, ils avaient de l'eau jusqu'aux genoux et se déplaçaient avec difficulté.

– ALLEZ-VOUS-EN! leur cria le garçon. JE NE VOUS VEUX PAS DE MAL! MAIS PARTEZ, SINON…

L'avertissement eut l'effet contraire et les échauffa davantage. Agressifs, ils accélérèrent le pas en grommelant.

– Je vous aurai avertis, marmonna Amos qui en avait assez. Attention, ça va barder…

En s'aidant du masque de l'air, le porteur de masques fit un prodigieux bond en générant sous lui un vacuum. Il virevolta au-dessus de cette poche vide, puis se laissa tomber en son centre pour la crever. Telle une bombe, elle explosa et provoqua une bourrasque si puissante que les morts vivants furent projetés à des centaines de mètres plus loin. L'onde de choc fut accentuée par l'eau qui, grâce à la magie d'Amos, se forma en une vague concentrique qui s'éleva et se fracassa avec violence. Cette deuxième attaque dirigée vers ses ennemis arracha un bon nombre de bras et de têtes et repoussa encore de quelques dizaines de mètres les assaillants les plus tenaces.

«Maintenant, je dois me cacher! se dit Amos en se jetant à plat ventre dans les roseaux. Je ne pourrai pas me battre ainsi encore bien longtemps, j'ai besoin de repos.»

Le garçon saisit alors une de ses gourdes d'eau et en but quelques gorgées. Une bonne chaleur parcourut son corps et dissipa sa fatigue et les douleurs de sa chute du quatrième au cinquième niveau des Enfers.

«Bon! je dois faire le point, pensa Amos, maintenant rétabli. Il semble évident que les damnés qui peuplent cet endroit sont loin d'être aimables. Je dois absolument éviter tout contact avec eux afin de ne pas me faire repérer. La prudence sera vraiment de mise ici! Je vais explorer les environs, peut-être trouverai-je le moyen de sortir d'ici.»

Amos inspecta les lieux en prenant bien soin de toujours se faire discret. D'un côté comme de l'autre, les damnés se battaient entre eux de manière confuse et semblaient n'avoir ni chef, ni clan, ni armée. Ce n'étaient que des enragés qui se regroupaient momentanément pour mener une attaque commune et se déchirer mutuellement ensuite. Le porteur de masques devait se méfier de ces nouveaux ennemis imprévisibles et donc très dangereux. Il allait redoubler de vigilance.

En rampant dans le marais, Amos ressentit soudainement une morsure à la jambe. Il empoigna la dague de Baal et la planta vigoureusement dans l'eau à quelques reprises. C'est alors qu'une tête humaine remonta à la surface et essaya de nouveau de lui croquer le mollet. Horrifié, le porteur de masques la saisit par les cheveux et la projeta un peu plus loin.

«WOUAH! ce marais doit être infesté de corps en décomposition et d'armes rouillées! songea Amos en essayant d'apercevoir un bout de terrain afin de s'extraire de l'eau. C'est trop dangereux pour que je tente de me déplacer là-dedans! Le plus sage serait de me confectionner un petit radeau sur lequel je pourrais circuler à plat ventre.»

Soucieux de ne pas se faire voir, c'est avec discrétion que le garçon cueillit des joncs séchés qu'il transforma en deux bons flotteurs. Ayant souvent tressé des paniers avec sa mère à l'époque où tous deux vivaient dans le royaume d'Omain, il se rappelait quelques techniques de base. Il joignit ensemble ses flotteurs qu'il recouvrit ensuite de diverses plantes propres à favoriser son camouflage. Justement, alors qu'Amos venait de prendre place au centre de sa nouvelle embarcation, un damné en mal de bagarres passa juste à côté sans même le remarquer.

«C'est bon, le test est concluant! se dit-il, content de lui. Maintenant, avançons un peu...»

Utilisant encore une fois ses pouvoirs sur l'eau, le porteur de masques provoqua, sous le radeau, un remous capable de le propulser lentement. De cette façon, en le voyant glisser au milieu des obstacles du marais, les damnés auraient l'impression de ne voir bouger qu'un inoffensif îlot de végétation poussé par le courant.

« Ils sont bien trop occupés à s'entredéchirer pour remarquer ma présence, constata le garçon en frôlant de près un duel de morts vivants. Ouf! me voici en sécurité pour un moment! Mais il me faut absolument sortir de ce marais le plus vite possible! »

12
À la recherche de la gorgone

Lolya volait à toute vitesse sur le dos de Maelström. Attachée par les pieds à l'aide d'un attelage improvisé mais solide, la nécromancienne hurlait de joie tandis que le dragon piquait en vrille vers le sol. Bien en possession de ses moyens, la bête de feu s'amusait follement elle aussi.

– SUFFIT, MAELSTRÖM! lui ordonna soudainement Lolya. Regarde là, plus loin! Je crois que c'est la mer Sombre! Vois-tu?

– Mais oui, fit le dragon en cessant ses manœuvres, c'est certainement elle!

– Hourra! Allons voir si on peut trouver Médousa. Mais posons-nous d'abord sans nous faire remarquer, suggéra la nécromancienne. Il vaudrait peut-être mieux attendre la nuit!

– Crois-tu vraiment que notre sœur Médousa se trouve dans cette mer? demanda Maelström, perplexe.

– À vrai dire, avoua Lolya, elle devrait y être. Au cours de notre dispute, elle a clairement manifesté son intention d'y retourner! Mais l'a-t-elle fait? Je n'en sais rien… J'espère que ses lurinettes ne lui ont pas trop manqué! J'ai hâte de les lui remettre.

– Hum… je ne sais pas nager, moi! fit le dragon, songeur. Mais tu as raison, attendons la nuit, nous verrons bien ensuite.

***

Des dizaines de villageois enragés poursuivaient Médousa dans la forêt. Sur les côtes de la mer Sombre s'était répandue la nouvelle qu'une gorgone avait réussi à survivre à l'empoisonnement de l'eau et qu'elle se cachait maintenant dans les bois. Effectivement, on avait relevé des traces du spécimen sur les sols argileux et trouvé un chien métamorphosé en pierre aux abords d'une clairière tout près d'une petite école de village.

– Va-t-on laisser une créature démoniaque troubler la paix des habitants et menacer nos enfants? avait lancé le maire aux citoyens.

– Non, sûrement pas! avaient-ils tous répondu en chœur. Il est temps d'agir.

C'est ainsi que les villages environnants furent contactés et que la chasse à la gorgone se mit en branle. On envoya les meilleurs trappeurs relever des pistes afin de retracer les déplacements du monstre. Il était important de bien connaître ses habitudes afin d'éviter d'éventuelles et douloureuses pertes de vie. Des chiens renifleurs furent spécialement entraînés et le maire responsable de l'opération engagea même un authentique mercenaire, chasseur de gorgones professionnel, pour commander une unité de braves villageois. Le général mercenaire fournit à ses nouveaux soldats de grands boucliers miroirs et établit un plan d'attaque infaillible. Les bergers, les marchands et les fermiers qui joignirent les rangs de ce bataillon spécial furent soumis à une initiation aux armes de combat rapproché ainsi qu'à un entraînement intensif d'un mois qui acheva de les épuiser.

De son côté, Médousa eut le temps de trouver refuge dans une très ancienne tour de garde située dans la forêt profonde. De forme carrée, le bâtiment de pierre était construit au sommet d'une petite montagne d'où il était possible de voir la mer et les villages côtiers. L'endroit, cerclé de rosiers, était calme et propice à la réflexion. Sur le flanc droit de la tour, des centaines d'autres rosiers sauvages dégageant un doux parfum printanier formaient un mur de barbelés. À gauche de la tour, un ravin assurait sa protection contre d'éventuelles attaques. Des cinq étages que comptait cette ruine, seul celui qui était situé au sommet était habitable. Tout l'intérieur du bâtiment, fait en bois, avait été rongé par de voraces termites. Médousa devait donc monter à ses appartements en empruntant un fragile escalier puis continuer son ascension en escaladant un mur de pierre.

La gorgone avait trouvé à l'intérieur des décombres de vieilles cartes et des documents jaunis révélant que le bâtiment avait protégé jadis la frontière d'un quelconque royaume depuis longtemps disparu. Mais l'histoire de ce lieu n'avait pas vraiment d'importance pour Médousa. Tout ce qu'elle désirait, c'était un toit au-dessus de sa tête pour s'abriter et lui permettre de réfléchir tranquillement à son avenir.

Depuis son arrivée dans sa nouvelle demeure, la gorgone avait établi une petite routine bien à elle. Tous les soirs, elle marchait longtemps dans la forêt pour y ramasser des insectes, puis elle rentrait pour s'endormir tard dans la nuit après avoir admiré les étoiles. Elle ne se levait jamais avant midi et attendait que le soleil décline pour aller pêcher dans le ruisseau non loin du village et refaire ses provisions d'eau douce. Évidemment,

Médousa prenait soin de ne pas se faire remarquer, évitant tout contact avec les humains. Une fois, cependant, malgré ses précautions, elle avait été attaquée par un chien enragé et avait dû le transformer en pierre. Légitime défense…

Cet après-midi-là, lorsqu'elle ouvrit les yeux, Médousa entendit du haut de sa tour les bruits d'une grande agitation qui semblait provenir de l'un des villages d'en bas. Elle se leva et aperçut au loin une foule impressionnante. On avait allumé de grands feux, et des aboiements de chiens excités parvinrent à ses oreilles.

« Je me demande bien ce qu'ils font ! songea-t-elle en bâillant. Cela ressemble à l'une de leurs fêtes ou quelque chose du genre. »

Ne flairant pas le danger, elle décida d'aller se baigner à la cascade d'eau claire à quelques lieues de la tour. Médousa l'avait découverte par hasard, au cours d'une promenade et, depuis, elle y retournait souvent. La cascatelle, bien cachée dans un endroit peu accessible, lui permettait de se détendre sans craindre d'être vue. La jeune gorgone s'asseyait sur un rocher et laissait l'eau lui masser la tête et les épaules. Ces moments de paix lui faisaient un grand bien et allégeaient un peu la solitude qu'elle ressentait souvent.

« J'ai hâte de me baigner ! se réjouit-elle. Allons ! en route… »

Au moment où elle allait s'élancer dans les airs du haut de la tour afin de planer jusqu'en bas, Médousa remarqua quelque chose d'anormal. Quelqu'un avait taillé un passage dans une des haies de roses ! Le cœur battant, la gorgone se précipita à l'intérieur de la tour et regarda discrètement à travers les meurtrières. Un peu plus loin, en bas, elle remarqua du mouvement. Des hommes dissimulés derrière un muret de pierre discutaient à voix basse. Le vent transporta leurs paroles jusqu'aux oreilles de Médousa.

– Ils seront tous là bientôt, sois tranquille ! dit une voix d'homme mûr.

– Mais si elle nous attaquait ? dit une autre voix, celle-là est beaucoup plus jeune.

– Mais non ! Ne t'inquiète pas, le rassura l'autre. Je les connais bien, ces créatures ! Elles ont peur du jour et n'attaquent que la nuit, mais si par un malheureux hasard tu en voyais une, rappelle-toi de maintenir ton bouclier miroir devant toi !

Au mot « miroir », la gorgone sentit la panique s'emparer d'elle.

« Oh non ! Ils ont des miroirs, se dit-elle, je suis morte ! Quand je pense que j'ai abandonné mes lurinettes à Béorf et à Lolya pendant la dispute! Quelle idiote je suis, mais quelle IDIOTE! Avec mes lurinettes, j'aurais eu une chance de ne pas tomber en poussière en croisant mon regard dans un miroir. Il faut que je trouve quelque chose… vite!»

— Tu vois, jeune homme, continua la voix mûre plus bas, les gorgones ne sont pas très intelligentes et en conséquence elle agissent de façon instinctive. Comme des animaux traqués, leurs réactions sont imprévisibles. D'ailleurs, c'est ce qui rend leur chasse si plaisante! Jamais tu ne peux prévoir leur prochain mouvement.

— Et vous en avez tué beaucoup? demanda le plus jeune.

— Des centaines! se vanta le guerrier. Pour moi, ce n'est même plus un défi, c'est devenu une routine. De plus, je sais qu'elles tremblent à la simple évocation de mon nom. Zigmoon, le chasseur de démons! C'est sous ce sobriquet qu'on me connaît! Ce n'est pas pour rien que le maire de ton village m'a engagé, tu sais!

En entendant ces mots, Médousa se mit à bouillir de rage. Comment cet homme pouvait-il être aussi obtus et incapable de voir autre chose dans les gorgones que de simples bêtes à exterminer? Elles avaient aussi le droit de vivre, d'exister en paix sans être constamment poursuivies!

« Cet homme mérite que je lui prouve que nous ne sommes pas aussi stupides qu'il le prétend! fulmina Médousa en serrant les dents. Vois, mon ami, comme nous sommes, nous les gorgones, instinctives et imprévisibles! »

Puis, comme elle allait s'élancer de la tour pour porter une première attaque aux chasseurs, Médousa se ravisa. Les aboiements des chiens s'étaient rapprochés; cela signifiait que les renforts n'étaient pas loin. Il valait mieux leur faire croire que la tour était déserte et éviter un affrontement direct. Comme la partie supérieure du bâtiment était pratiquement inaccessible à un humain parce que trop malaisée à escalader, Médousa se sentait en sécurité. Elle n'avait qu'à rester là, immobile, jusqu'à ce qu'ils quittent tous le territoire. Ensuite, elle-même quitterait discrètement la tour et établirait sa demeure encore plus loin dans la forêt.

Déjà, une troupe de vingt villageois empruntait le passage découpé à travers la haie de rosiers.

– Monsieur Zigmoon? Êtes-vous là, monsieur Zigmoon? Vous êtes là, monsieur Zigmoon? chuchota l'un d'eux.

– Je suis ici! répondit à voix basse le chef en faisant de grands signes. Là! Postez-vous là! Juste derrière! Et vous, sur la gauche! NON! Pas là! Gauche! J'ai dit à gauche!

– Est-ce qu'elle est dans la tour ? s'informa le boucher du village devenu soldat pour l'occasion.

– Parlez plus bas ! fit Zigmoon, excédé. Nous allons nous faire repérer.

Dans sa cachette, Médousa fit la moue : « Ce Zigmoon prend vraiment les gorgones pour des créatures stupides ! Cela fait déjà un bon moment que je l'ai repéré, cet idiot… »

Des meutes de chiens tenus en laisse apparurent alors de tous les côtés de la tour, aboyant et grognant. Peu de temps après, deux bataillons d'une trentaine d'hommes chacun se pointèrent en chantant.

– J'AVAIS DEMANDÉ UN POSITION-NEMENT DISCRET ! hurla le chasseur de gorgones en entendant tout ce tapage. Mainte-nant, c'est terminé ! Si elle est dans la tour, la créature nous aura sûrement entendus !

« Il est vraiment bête, se dit Médousa, toujours cachée. Avec de telles méthodes, je suis certaine qu'il n'a jamais tué une seule gorgone de sa vie ! »

– Apportez l'appât ! ordonna Zigmoon. Ensuite, nous lâcherons les chiens dans la forêt et nous dissimulerons aux alentours en atten-dant qu'elle bouge.

« Quelle technique stupide ! pensa Médousa.

Des hommes déposèrent un gros quartier de bœuf saignant pour attirer la gorgone et, suivant les ordres, ils lâchèrent les chiens qui filèrent en reniflant le sol. Comme des mouches attirées par du miel, les bêtes ne tardèrent pas à se jeter sur la juteuse viande.

– Qu'est-ce qu'on fait maintenant? demanda le boucher à Zigmoon. Ils sont en train de manger notre appât!

– MAIS CHASSEZ-LES! hurla le chasseur en chef. ENLEVEZ-LES DE LÀ!

Médousa, maintenant plus amusée qu'effarouchée, décida de modifier son plan, qui consistait à rester cachée, et entreprit d'établir le contact avec les villageois. Après tout, il y avait peut-être moyen de s'expliquer, de se comprendre et d'en venir à un accord.

– LES GORGONES NE MANGENT PAS DE VIANDE CRUE! lança-t-elle du haut de sa tour.

– À VOS AAAAAARMES! hurla Zigmoon. ELLE EST LÀ! ELLE EST LÀ EN HAUT DE LA TOUR! À VOS ARMES!

– N'ayez pas peur de moi, continua Médousa à travers une meurtrière. Je ne vous veux pas de mal et si je ne suis pas la bienvenue sur vos terres, je m'en irai…

– RESTEZ SUR VOS GARDES! lança le chasseur à ses hommes. C'EST UN PIÈGE! LA GORGONE NOUS TEND UN PIÈGE!

– MAIS NON, IDIOT! hurla Médousa, exaspérée. C'EST MOI QUI SUIS PIÉGÉE, PAS VOUS!

– Elle veut nous abuser, dit Zigmoon sur un ton professoral. Ne vous en faites pas, je les connais bien, ces créatures. Elles nous font croire qu'elles sont prises au piège pour mieux nous piéger ensuite! C'est une de leurs tactiques préférées…

– ÉCOUTEZ TOUS! lança à nouveau la gorgone. Cet imbécile de Zigmoon fait fausse route.

– JE VOUS AVAIS DIT QU'ELLES ME CONNAISSAIENT BIEN, CES CRÉATURES, clama le chasseur, fier de lui.

– Il fait fausse route, je ne veux de mal à personne. Laissez-moi partir d'ici et tout ira bien. Je jure de ne plus jamais revenir sur vos terres.

– La parole d'un démon ne vaut rien, grogna Zigmoon. QU'ON METTE LE FEU À LA TOUR!

– QU'ON LA BRÛLE! QU'ON LA BRÛLE! hurlèrent à l'unisson les villageois.

«Les humains sont parfois vraiment stupides!» pensa Médousa, découragée.

Elle tenta de trouver une solution rapide, envisagea de sauter en bas de la tour et de se laisser planer plus loin, mais les chiens auraient eu tôt fait de la rattraper. Descendre et affronter ces humains ne paraissait pas non plus être une bonne idée, puisqu'ils étaient trop nombreux et qu'en plus, ils possédaient des miroirs. Se jeter du haut du bâtiment et planer jusqu'à la mer Sombre était une autre solution, mais comme l'eau était empoisonnée, cela était également hors de question! Mais que faire? Rester là et brûler vive?

« J'aurais dû m'en tenir à mon plan d'origine et ne pas signaler ma présence, se fustigea Médousa. J'aurais dû savoir que ces humains ne comprendraient rien à rien! Si Amos était là, il aurait une idée, lui! Pourquoi ne suis-je pas capable de me sortir de ce pétrin? Il doit bien y avoir un moyen pourtant… »

La fumée des brasiers montait déjà dans la pièce de Médousa. Pour ne pas suffoquer, la gorgone dut sortir sur le toit de la tour. Elle vit que, sous les ordres de Zigmoon sans doute, on avait amassé du bois tout autour du bâtiment pour en faire un bûcher.

– NOUS ALLONS L'ENFUMER JUSQU'À CE QU'ELLE SAUTE! cria le chasseur. PUIS NOUS LA FERONS RÔTIR VIVANTE!

– QU'ON LA BRÛLE! répétèrent ses troupes. QU'ON LA BRÛLE!

Médousa commençait à se sentir incommodée par la fumée. Elle ne voyait aucune autre solution que celle de sauter. Et que ferait-elle une fois au sol? Les changer un à un en statue de pierre?

« Je n'ai pas le choix, je dois me lancer et essayer de planer le plus loin possible, songea la gorgone, qui avait de plus en plus de mal à respirer. Bien que la mer soit probablement encore empoisonnée et que je risque d'y laisser ma peau, c'est ma seule issue! »

– ELLE EST LÀ! JE LA VOIS! JE LA VOIS! cria un témoin excité. ELLE VA SAUTER!

– SORTEZ VOS ARCS ET VOS FLÈCHES! ordonna Zigmoon, emporté par l'excitation. ELLE NE DOIT PAS NOUS ÉCHAPPER!

Mais contre toute attente, il se produisit un événement qui glaça les villageois. L'ombre d'un gigantesque oiseau passa deux fois au-dessus de la tour en feu. Le monstre poussa un cri si aigu que tous, la tête entre les mains, se jetèrent au sol. L'oiseau, chevauché par un démon à la peau noire, descendit des cieux à une vitesse incroyable et saisit Zigmoon à l'aide de l'une de ses pattes. En deux battements d'ailes, la bête remonta au-dessus de la tour et, sans ralentir sa course, largua le chasseur de gorgones sur le toit. Puis il attrapa Médousa et disparut dans les nuages.

– Avez-vous vu ça? parvint à dire le boucher en se frottant les yeux.

– Mais qu'est-ce que c'était? demanda un autre.

– On aurait dit une immense chauve-souris! lança un villageois, stupéfait.

– Moi… moi, je crois que c'était un dragon! s'exclama le maire. Voilà autre chose maintenant! Quittons cet endroit au plus vite! Et ne revenons plus jamais dans la forêt… Trop de choses étranges se passent ici. Retournons vite chez nous et oublions cette histoire.

Sur la recommandation du maire, les troupes regagnèrent à toutes jambes leurs villages respectifs. Seul demeura Zigmoon qui, du haut de la tour en feu, hurlait:

– UNE ÉCHELLE! QU'ON M'APPORTE UNE ÉCHELLE! AU SECOURS! NE PARTEZ PAS, BANDE D'ATTARDÉS! UNE ÉCHEL-LLLLLLLLLLLE!

13
Valhalla

Chez les béorites et les peuples vikings, le Valhalla était le palais céleste des héros morts. Lorsqu'un courageux guerrier tombait au combat, il était souvent choisi par Odin et amené directement dans le Valhalla sans passer préalablement par Braha pour y subir son procès.

Cet immense palais possédait plus de cinq cents portes pouvant laisser passer huit cents Vikings de front. Les chevrons de cette magnifique demeure étaient sculptés à l'image de grandes lances de combat, les murs croulaient sous l'impressionnante quantité de boucliers qui y étaient accrochés, et les bancs aussi bien que les tables étaient constitués de pièces d'armures et de souvenirs des grandes batailles passées.

Pour pénétrer dans le Valhalla et y mériter sa place, les élus d'Odin devaient d'abord franchir une série d'obstacles, dont la traversée d'une terrible rivière de vents. Mais une fois ce dernier péril vaincu, une nouvelle vie attendait les valeureux guerriers. Nuit et jour, on y faisait la fête. Un chaudron magique produisait par lui-même une inépuisable quantité de ragoût alors que, jour après jour, le même sanglier ressuscitait pour être perpétuellement cuisiné et dévoré par les convives. De l'hydromel coulait à flots du pis d'une chèvre enchantée, et les paniers de fruits garnissant les tables se remplissaient à mesure qu'ils étaient vidés.

Au lever du soleil, les guerriers s'entraînaient à la lutte ou au combat armé, et terminaient leur journée tard dans la nuit par un somptueux banquet. Inlassablement, la fête et l'entraînement se poursuivaient en prévision de la fin du monde où tous les élus emprunteraient les cinq cents portes de Valhalla pour aller combattre une dernière fois aux cotés d'Odin.

Mais le Valhalla n'était pas réservé qu'aux hommes : les valkyries y avaient aussi leur place. Ces femmes guerrières chargées d'aller récolter à dos de cheval ailé les âmes des morts choisies par Odin participaient aussi aux banquets. En plus d'obéir aux dieux, elles avaient la responsabilité de provoquer les rages guerrières des béorites et de conduire à Braha les guerriers non élus afin qu'ils y subissent leur procès.

C'est dans une ambiance de fête, pendant que les verres d'hydromel s'entrechoquaient, que la porte réservée exclusivement au dieu Odin s'ouvrit lentement. Le silence s'installa immédiatement dans tout le palais. Chacun savait que, le jour de la fin du monde venu, le dieu passerait par cette porte pour venir les quérir. Ce jour était-il arrivé?

À l'étonnement général, c'est un type barbu, de taille moyenne, timide et l'air de rien, qui entra dans le Valhalla.

– Es-tu Odin? cria un Viking dans la salle. Viens-tu nous chercher pour le combat final?

– Non, non… mais, non…, fit l'étranger, mal à l'aise. À vrai dire… je… je m'appelle Urban Daragon et j'aimerais rencontrer les frères Évan et Banry Bromanson. Se trouvent-ils ici par hasard?

– Mais qui donc t'a autorisé à emprunter cette porte? s'insurgea une valkyrie. Elle est réservée à…

– … à Odin, je sais, enchaîna Urban. Mais c'est lui-même qui m'a permis de l'utiliser.

Un murmure se répandit dans la salle.

– Ah bon! se radoucit la valkyrie, quand même un peu surprise. Si c'est lui… alors… alors, je suppose que c'est acceptable! Je suis désolée… Qui cherches-tu déjà?

– Évan et Banry Bromanson, ils sont des…

– Des béorites! s'écria l'un des convives. Les hommes-ours sont les préférés d'Odin, c'est pourquoi ils ne festoient pas avec nous! Le deuxième étage du palais leur est réservé! Vois-tu le grand escalier de bois à ta droite? Tu les trouveras en haut.

– Je vous remercie, répondit Urban alors que la fête avait déjà repris de plus belle.

Le père d'Amos monta l'escalier qui conduisait à une salle aussi bruyante que la précédente. Des hommes et des femmes, beaucoup plus charpentés que les guerriers du premier étage, fêtaient eux aussi avec la même intensité que leurs voisins du dessous. Dès qu'Urban eut gravi la dernière marche de l'escalier, tous les béorites se tournèrent vers lui et le toisèrent.

– Excusez-moi… je ne voudrais pas vous déranger… mais je… je…, balbutia Urban, impressionné par tous ces regards. Je voudrais parler à Évan ou Banry Bromanson… s'il vous plaît.

– Et que leur veux-tu? demanda de sa voix grave un homme imposant à la longue barbe.

– C'est personnel…, répondit timidement Urban en fixant les deux ailes de corbeau du casque de son interlocuteur.

– Personnel? répéta le béorite. Eh bien, dans ce cas, ils sont à la table juste là!

– Merci, merci bien!

Le ton de la fête descendit de quelques crans et les discussions reprirent en catimini. Urban prit timidement place à la table des Bromanson. Curieux, d'autres béorites se rapprochèrent pour essayer de capter des bribes de conservation.

– À VOS AFFAIRES, BANDE DE FOUINES! hurla le béorite géant. CES CHOSES-LÀ NE VOUS CONCERNENT PAS!

Par contre, c'est le plus naturellement du monde que le colosse fit signe aux quatre béorites de son village ainsi qu'à une valkyrie de venir le retrouver autour de la table des Bromanson. Ils se serrèrent les uns contre les autres afin de faire bloc et de garder pour eux la conversation.

– Ce qui touche un ancien habitant d'Upsgran, fit Banry après s'être présenté à Urban Daragon, concerne tous les gens du village. Parlez sans crainte! Voici mon frère Évan… Ici, vous avez Piotr le Géant qui vous a accueilli, puis voilà les frères Goy et Kasso Azulson, Hulot Hulson dit «la Grande Gueule» ou encore «le Tueur de dragons», voici Alré la Hache et finalement, juste à côté, Rutha la Valkyrie. Et celui qui arrive, là-bas, c'est Helmic l'Insatiable! Parlez, maintenant, je vous écoute…

– Où est Geser? demanda Goy, surpris.

– Je te l'ai répété cent fois, s'impatienta Kasso, il n'est pas avec nous parce qu'il est toujours vivant, lui!

– Ah oui! c'est vrai! se rappela Goy. Logique! Mais j'espère qu'il mourra bientôt, j'ai tellement hâte de le revoir…

– Veux-tu te taire et laisser parler ce monsieur! D'ailleurs, ce n'est pas décent de souhaiter la mort des gens, s'indigna Kasso pour la forme.

Alré fit signe à Goy et à Kasso de se taire afin d'entendre ce que l'étranger avait à dire.

– Je me présente: Urban Daragon, commença le nouveau venu. Et je suis le père d'Am…

– Le père d'Amos Daragon? l'interrompit Banry avec une vive émotion. Quel garçon extraordinaire! Il m'a raconté votre assassinat à Berrion… Ah! ces bonnets-rouges! ils mériteraient tous d'être exterminés!

– Oui, bon, mais ce qui me chagrine beaucoup, enchaîna Urban, c'est que je n'ai plus la chance de voir grandir mon fils. Certes, je communique parfois avec lui dans ses rêves, mais je ne partage plus ses activités. J'ai quitté le monde des vivants en emportant de magnifiques souvenirs, mais, maintenant… eh bien, je me sens seul… Et ma femme me manque tellement, elle aussi…

– C'est exactement ce que je ressens, lui confia Évan Bromanson. Mais quel soulagement quand j'ai appris que mon garçon, Béorf, était le meilleur ami de votre fils. Il me manque beaucoup, mon petit bonhomme! Heureusement, moi, j'ai eu la chance de quitter la vie en tenant ma femme dans mes bras… J'apprécie qu'elle soit ici avec moi, dans le Valhalla, sinon je… je… C'est déjà si dur sans Béorf… Je… je l'aime tant…

Un long silence s'abattit sur le groupe et chacun voyagea pendant quelques minutes dans ses souvenirs. Le cœur serré, Banry revit ses aventures en mer et les pays qu'il avait visités tandis qu'Alré se rappelait ses nombreux combats à la hache. Hulot soupira en se remémorant la façon dont il avait tué le dragon de Ramusberget, puis Rutha vit ressurgir de sa mémoire l'ambiance du village d'Upsgran et les fleurs qui s'épanouissaient sur son petit bout de terrain. Piotr le Géant versa une larme en se rappelant son petit chien blanc. Helmic, déprimé depuis sa propre mort, pestait d'être bloqué dans le Valhalla et de ne pouvoir partir à l'aventure.

– Bon! fit Banry en s'arrachant à ses souvenirs, vous n'êtes pas venu ici pour évoquer avec nous votre vie passée ! Que pouvons-nous faire pour vous, Urban Daragon ?

– Voilà, je vous explique. Malgré le peu de contacts que nous, les morts, avons avec les vivants, j'ai réussi à apprendre que mon fils avait été condamné injustement aux Enfers par Enki, un dieu enfant inconséquent et capricieux.

– Amos serait donc mort ? déplora Helmic.

– Non, non ! le rassura aussitôt Urban. Il a été physiquement envoyé là-bas, mais... mais comme je ne supporte pas qu'il souffre, j'ai décidé d'essayer de faire quelque chose pour lui ! Je suis si inquiet, car on dit que ce lieu est atroce, qu'il s'y passe des monstruosités. Je sais que, malgré tout son courage et toute sa force, Amos ne pourra pas s'en sortir sans aide. J'ai déjà intercédé auprès de mon dieu, qui a fait la sourde oreille. Ensuite, j'ai essayé d'intéresser d'autres divinités qui se sont montrées tout aussi fermées. Toutes considéraient ma préoccupation comme négligeable. Je me suis promené d'un panthéon à l'autre dans l'espoir de trouver une oreille attentive jusqu'à ce que je rencontre un certain Koutoubia. Cet ancien guide avait bien connu Amos et Béorf dans le monde des vivants et m'a parlé de vous. Koutoubia ne vous avait jamais vus, mais il avait entendu de nombreux récits contés par Béorf faisant état de votre courage et votre indéfectible amitié. C'est alors que j'ai eu l'idée de m'adresser directement à vous.

– Et pourquoi Odin vous aurait-il laissé entrer dans le Valhalla? demanda Hulot, un brin sceptique.

– Parce qu'il avait apparemment une dette à régler envers Amos, expliqua Urban. Son intermédiaire, une grande et robuste valkyrie, m'a confié que c'était grâce à mon fils qu'Odin avait épousé Freyja et, malgré le fait qu'il soit un porteur de masques, c'est-à-dire un rival des dieux, il désirait honorer sa dette.

– Oui, c'est vrai…, confirma Banry, songeur. C'est durant notre voyage vers l'île de Freyja qu'Amos a contribué au rapprochement des deux divinités et qu'il a sauvé d'une extinction certaine la race des béorites. Et c'est dans cette aventure que nous avons connu la mort, à l'exception de mon frère Évan qui a perdu la vie à Bratel-la-Grande…

– Saviez-vous que nous sommes la race préférée d'Odin? demanda avec fierté Rutha qui avait un plan derrière la tête.

– Non, je l'ignorais jusqu'à ce que les Vikings du premier étage me le disent, avoua Urban. Pensez-vous pouvoir faire quelque chose pour mon fils? Si je pouvais échanger ma place contre la sienne, je le ferais volontiers, mais c'est impossible. Vous êtes ma dernière chance !

Absorbé, Banry se caressa machinalement la barbe un petit moment avant de reprendre la parole :

– Je crois que Rutha nous ouvre une porte en…

– C'est impossible, désolé ! déclara finalement Hulot Hulson. Il nous est formellement interdit de sortir d'ici, car nous devons attendre patiemment la fin du monde. De plus, nous devons nous entraîner pour le dernier grand combat.

– Odin nous pardonnerait probablement une petite virée en enfer ! lança Helmic, revigoré par la perspective d'une aventure.

– Et comment irions-nous ? En charrette ? ironisa Hulot qui ne voulait absolument pas mettre les pieds en enfer.

– Les valkyries possèdent des chevaux ailés, dit Rutha. Il suffirait qu'une valkyrie, moi par exemple, en emprunte quelques-uns pour ses amis béorites.

– Et… et comment allons-nous passer la porte des Enfers ? renchérit Hulot qui devenait de plus en plus maussade.

– MAIS UNE PORTE, ÇA SE DÉFONCE ! fit Piotr le Géant, excité par l'idée.

— Et avez-vous pensé aux conséquences d'un tel acte? s'alarma Hulot la Grande Gueule.

— Non! déclara Alré. C'est ce qui fait notre force, ne jamais prévoir les conséquences! Sur terre, la vie est trop courte et, dans le Valhalla, elle est trop longue. Il faut se divertir, pardi!

— Et si Odin se mettait en colère? maugréa Hulot. Nous pourrions être expulsés du Valhalla!

— Et ce ne serait pas si mal, affirma Goy sans la moindre hésitation.

— Je suis bien d'accord avec toi, mon frère, ajouta Kasso. Un peu de changement nous ferait le plus grand bien.

— Mais nous ne sommes pas assez nombreux! insista encore Hulot. Nous n'avons même pas d'armée pour affronter les forces des Enfers.

— Je suis certain que tous les béorites d'ici se feront un plaisir de nous accompagner, répondit Banry. De toute façon, ils savent déjà de quoi il retourne, puisqu'ils nous écoutent depuis le début… N'EST-CE PAS, MESSIEURS? QUE CEUX D'ENTRE VOUS QUI DÉSIRENT ALLER FAIRE UNE BALADE AUX ENFERS SE LÈVENT!

Toute la salle se leva d'un seul bond.

— MESSIEURS LES BÉORITES! fit une voix provenant de la cage d'escalier. LES

VIKINGS DU PREMIER ÉTAGE SONT ÉGA-
LEMENT PRÊTS À VOUS ACCOMPAGNER.
NOUS AVONS TOUT ENTENDU PAR UNE
FISSURE DANS LE PLANCHER.

– HÉ! RUTHA! ajouta une valkyrie.
NOUS T'ACCOMPAGNERONS AVEC NOS
CHEVAUX ET NOS HOMMES! POUR UNE
FOIS QU'ILS NOUS OFFRENT UNE SOR-
TIE ROMANTIQUE, NOUS N'ALLONS PAS
LA MANQUER!

– Mais non, mais non! Il ne faut pas!
Arrêtez! s'alarma Hulot. Tout le Valhalla va se
vider… Il n'y aura plus personne… et Odin…
ah non… quel malheur!

Banry se leva de son siège et sauta sur la
table.

– Prenez vos armes et vos armures!
ordonna-t-il au grand désespoir d'Hulot.
Révisez vos chants de guerre et affilez vos
lames, car, aujourd'hui, tout le Valhalla s'unira
pour réprouver l'injustice d'Enki. C'est sans la
permission de notre dieu que nous franchi-
rons les cinq cents portes du Valhalla et que
nous volerons vers les contrées maudites des
damnés. Nous sommes devenus trop veules et
trop gras, et il est temps de nous activer sérieusement! AUJOURD'HUI, NOUS PARTONS
CHERCHER AMOS DARAGON!

14
La forêt d'épines

Amos voguait sur le Cocyte depuis un certain temps. Des deux côtés de la rivière de larmes s'affrontaient sans relâche les guerriers et les guerrières enragés. Pataugeant dans l'eau boueuse du marais, leur ardeur au combat n'avait pas faibli et ils s'entretuaient en poussant des hurlements de douleur ou des cris de victoire.

«Voilà à quoi mène la colère, pensa Amos qui éprouvait de la pitié pour ces damnés. Ce sentiment naît de l'irritation et du mécontentement pour grandir parfois jusqu'à l'exaspération et la fureur. Ces âmes ne connaîtront jamais la paix et se tortureront entre elles jusqu'à la fin des temps. Elles ne sont que mépris, jalousie, dépit et rancune. Comme je les plains! Mais... mais qu'est-ce que je vois là-bas?»

Le porteur de masques voyait se dessiner au loin une monumentale construction qui ressemblait à un barrage. Toujours bien dissimulé sur son radeau de jonc, il accéléra. En utilisant ses pouvoirs sur l'eau, il créa une petite vague qui souleva son embarcation et la porta jusqu'à la gigantesque construction. Il s'agissait bien d'un barrage, mais d'un type particulier : il était parfaitement circulaire et non pas construit d'une rive à l'autre pour former un réservoir d'eau comme le sont les barrages normaux.

Après s'être assuré que personne n'était en vue, Amos quitta son radeau et monta sur la chaussée du barrage. Il avança avec beaucoup de prudence, car l'absence de garde-fous ou de quelconques clôtures rendait tout déplacement périlleux.

– WOW ! s'exclama-t-il. Je n'en crois pas mes yeux… C'est immense !

La splendeur de la construction se révéla dans sa totalité. Le barrage, composé de milliards de petites pierres noires enchâssées les unes dans les autres, comptait des centaines de vannes encadrées par de larges contreforts d'écoulement. D'une dimension phénoménale, il mesurait quelques lieues de diamètre et la forme de sa structure s'apparentait à celle d'un énorme entonnoir. Les doucines de déversoir se rejoignaient au centre où l'écoulement de trois vannes était avalé à des centaines de mètres plus bas par un immense gouffre.

«Bon, que faire maintenant? se demanda Amos. Me voici parvenu au cinquième niveau des Enfers et, pour descendre encore jusqu'au sixième, il me faudra sans doute passer par l'ouverture que j'aperçois tout en bas! Mais comment faire pour l'atteindre?»

Tandis qu'il tentait de trouver une solution, son regard fut attiré par trois grands oiseaux dans le ciel. Les bêtes arboraient de grandes ailes et une longue queue semblable à un fouet. Il n'en fallut pas davantage à Amos pour reconnaître les Érinyes! Oh non! les gardiennes du Tartare étaient sûrement à sa recherche!

Sans faire ni une ni deux, Amos se jeta dans le Cocyte et nagea jusque sous l'eau en direction de son radeau. Il n'y avait pas de meilleure cachette pour l'instant. Capable de respirer dans l'eau grâce à la magie de son masque, le garçon espéra que les trois Érinyes passent leur chemin sans remarquer sa présence.

Malheureusement pour lui, elles se posèrent sur la chaussée du barrage, juste à côté de son radeau. Lorsqu'il perçut leurs voix, Amos, toujours sous l'eau, se concentra afin de capter leur conversation.

– C'est quoi, cet objet flottant? demanda Alecto en pointant le radeau.

– Je ne sais pas, lui répondit Mégère. Ce doit être un amas de roseaux qui s'est détaché des marais pour venir s'échouer ici.

– Désolée de vous avoir induites en erreur, reprit Alecto. Du haut des airs, on aurait dit une embarcation !

– Pas de mal, dit à son tour Tisiphoné. Il vaut mieux considérer toutes les possibilités, nous devons remettre la main sur ce garçon dans les plus brefs délais.

– Le sacripant ! Jamais personne ne s'était enfui de la prison des dieux ; ce gamin aura été le premier, grogna Mégère. Je déteste les menteurs…

– Écoutez… nous devons faire le point, proposa Alecto. Nous savons toutes les trois qu'il a traversé l'enfer de glace d'Orobas ; le démon nous l'a bien confirmé.

– Et nous avons fait trois fois le tour de ce marais sans trouver d'indices de sa présence, continua Tisiphoné.

– Il a probablement déjà traversé ce cinquième niveau et il est maintenant dans la forêt d'épines, conclut Mégère.

Amos était remonté légèrement à la surface et, toujours immergé sous son radeau, tendait l'oreille. Il entendit la discussion à son sujet.

– AAAAH ! LE PETIT VAURIEN ! ragea Alecto. Dire qu'il a failli me faire craquer avec ses airs d'enfant triste…

– Correction, Alecto! s'objecta Mégère. Il t'a bien fait craquer et tu es bien tombée dans son piège. Si je n'avais pas été là, eh bien…

– Eh bien quoi? dit Tisiphoné en prenant la défense d'Alecto. Sans ta satanée vigilance, Mégère, nous l'aurions fait traverser de l'autre côté du Tartare sans qu'il s'échappe et nous ridiculise aux yeux de notre maître. Il se serait joué de nous, mais nous aurions au moins évité les réprimandes. Je n'ai pas aimé que notre dieu nous vomisse des insultes en nous menaçant de nous désintégrer…

– Moi non plus, je n'ai pas tellement apprécié! ajouta Alecto.

– Alors, c'est ça! s'indigna Mégère. C'est toujours ma faute! C'est bien ça? Je vais vous dire, moi, qui est le responsable! C'est Grumson! C'est sa faute à LUI si le garçon s'est évadé, car c'est LUI qui devait le surveiller.

Alecto et Tisiphoné acquiescèrent en silence.

– Au moins, reprit Mégère, nous l'avons bien puni, notre stupide Grumson, en le laissant grelotter dans l'enfer de glace.

– Ça le fera réfléchir! affirma Alecto en ricanant.

– Et pour les dix prochains siècles! ajouta Tisiphoné.

Les trois Érinyes éclatèrent ensemble d'un rire sinistre.

– Bon! lança Mégère, ouvrons la porte de la forêt d'épines et cherchons-le dans cette direction!

– Alecto, sors ta dague et sortons d'ici, ordonna Tisiphoné. En plus, c'est trop humide dans le coin!

– Vous croyez que ce garçon aurait pu utiliser sa dague pour s'enfuir? demanda Alecto en dégainant son arme.

– La dague de Baal? fit Mégère. Non! Il ne sait sûrement pas s'en servir…

– Et ce n'est pas nous qui allons le lui apprendre! répliqua Tisiphoné en s'esclaffant.

La dague à la main, Alecto découpa dans le vide un rectangle de la taille d'une grande porte. Elle prononça quelques mots d'une formule étrange et recula de quelques pas. Une lumière intense jaillit de la porte imaginaire et ouvrit un passage vers le sixième niveau des Enfers.

– Passe devant, Mégère! dit Alecto en rengainant son arme.

– J'espère qu'on le trouvera vite, marmonna Tisiphoné, qui suivit sa sœur dans le passage.

– De toute façon, il sera à nous tôt ou tard! répondit Alecto avant de pénétrer dans l'ouverture magique.

Amos, qui avait tout entendu de la discussion des Érinyes, émergea alors de sa cachette.

« Voilà ma chance ! pensa-t-il. Il me faut emprunter ce passage ou risquer de me casser le cou en sautant en bas du barrage. Ah non ! je crois qu'il se referme ! »

Sans réfléchir plus longtemps, le porteur de masques remonta sur son radeau, bondit sur le barrage et s'élança à travers la porte des Érinyes. La seconde suivante, le passage vers la forêt d'épines se refermait dans un éclair. Amos avait agi juste à temps.

***

Le sixième niveau des Enfers ressemblait à une immense forêt où les arbres entrecroisaient leurs branches pour former une infranchissable barrière. Dans ce lieu maudit, la végétation ne donnait ni fruits ni fleurs. Toute la flore était dépourvue de feuilles et de couleurs, n'affichant que des couleurs blafardes. De longues et fortes épines avaient remplacé les bourgeons des feuillus de jadis devenus des conifères à présent aux milliards d'aiguillons acérés capables de déchirer la plus solide des armures de cuir. Au sol, des mousses et des lichens empoisonnés laissaient s'échapper une substance acide susceptible de dissoudre n'importe quel métal.

Il n'y avait pas d'animaux dans cette forêt, seulement des damnés qui s'y promenaient en poussant des cris à chacun de leurs pas. La douce musique des oiseaux chanteurs avait été remplacée par l'atroce cacophonie des appels à l'aide et des hurlements de douleur. Les condamnés du sixième niveau des Enfers erraient nuit et jour dans ce lieu épouvantable en se lacérant les membres. Impossible pour eux de prendre une pause, car l'acide des lichens décuplait leurs douleurs. Les malheureux étaient couverts de plaies suintantes et plusieurs d'entre eux, devenus aveugles, avançaient à tâtons en s'écorchant plus que les autres.

En empruntant la porte des Érinyes, Amos était tombé du ciel et s'était retrouvé suspendu, accroché à deux branches. Ce plongeon dans la forêt d'épines lui avait lacéré la peau en lui arrachant une longue plainte. Heureusement, le masque de la terre avait rapidement soulagé sa douleur en couvrant ses plaies d'une boue apaisante.

« Je ne peux plus bouger, constata Amos, toujours suspendu entre deux arbres. Le branchage est si dense qu'il me retient ici, entre ciel et terre. Bon… que dois-je faire maintenant ? »

Il prit un moment pour analyser la situation et voir comment sa magie pourrait le sortir de ce mauvais pas. Les branches et les troncs, recouverts d'une écorce de pierre, semblaient ignifuges. Par ailleurs, il ne semblait y avoir ni eau ni vent.

« Essayer d'enflammer cette forêt ne me servirait à rien, réfléchit-il. Je ne peux pas non plus créer une tornade assez puissante pour me tailler un chemin à travers ces bois, et mes pouvoirs sur l'eau ne me sont d'aucune utilité ici! Il faut pourtant que je trouve une solution… Je n'ai vraiment pas envie de passer l'éternité dans ce lieu! »

Alors que le porteur de masques méditait sur sa situation, son regard fut attiré par un joli glaïeul rouge miraculeusement apparu juste en dessous de lui. La vie semblait renaître tout autour de la fleur. La mousse avait pris une belle couleur verte de chlorophylle et de petits boutons de pâquerettes ouvraient lentement leurs pétales.

« Mais pourquoi ces fleurs ont-elle poussé subitement sous moi? se demanda Amos. Il n'y a pas de raison pour que la flore naisse juste là… à moins que… à moins que ma gourde ne soit percée! »

Le garçon avait vu juste: l'eau de la fontaine de Jouvence s'échappait goutte à goutte de l'une de ses gourdes. Le contenant avait été percé par une épine qui y était toujours enfoncée. Amos la retira et essaya, malgré son incommodante position, de colmater la fuite en se servant d'un bout de tissu qu'il arracha à son pantalon. Puis une idée lui traversa l'esprit! Il avait peut-être trouvé la façon de quitter cette forêt et de se faire montrer la voie du septième niveau des Enfers. Il retira le bouchon de la gourde et fit couler quelques gouttes d'eau sur le sol autour de lui. Aussitôt, la vie commença à renaître et il aperçut le paysage s'égayer de quelques douces couleurs.

– J'ai en ma possession deux gourdes remplies d'eau de la fontaine de Jouvence, cria le porteur de masques à tue-tête. Si on ne me laisse pas sortir de ce lieu et qu'on refuse de me conduire au septième niveau, j'arroserai la forêt! Je vous laisse dix secondes pour répondre à ma demande… Dix… neuf… huit… sept…

À ce moment, un écureuil volant apparut, tout petit et très agile, qui sautait d'arbre en arbre à toute vitesse.

– Je continue, se réjouit le garçon en feignant de vouloir déverser le contenu des gourdes. (Mon plan fonctionne! se dit-il.) SIX… CINQ… QUATRE… TROIS…

L'écureuil fit un ultime saut qui le fit atterrir sur une branche, tout près d'Amos.

– DEUX…, continua le porteur de masques, et UN…

– ARRÊTE! fit l'écureuil. Mon maître est prêt à négocier!

– Hum… intéressant! fit le garçon, ravi de la surprenante efficacité de son plan.

– Attention à la manière dont vous manipulez cette gourde! l'avertit le petit animal. Vous pourriez faire des ravages ici! Remettez le bouchon et nous discuterons ensuite…

– Non! trancha Amos. C'est moi qui fixe les règles et cette gourde demeurera ouverte tant et aussi longtemps que je n'obtiendrai pas ce que je désire. Est-ce clair?

– DU CALME! D'ACCORD! CALMONS-NOUS! lança l'écureuil, paniqué. Nous sommes prêts à négocier… je viens de vous le dire… Du calme… Nous sommes entre créatures intelligentes et nous trouverons une solution… Vous ne voulez pas remettre le bouchon? C'est parfait! Vous faites comme vous voulez, mais… mais soyez prudent! C'est tout ce que je vous demande!

– Bon, premièrement, je sais que les Érinyes me cherchent et j'exige que le passage vers le septième niveau des Enfers leur soit refusé lorsque j'aurai réussi à m'y rendre!

– C'est impossible! s'exclama le rongeur. Nous ne pouvons pas. Un instant…

Le négociateur ferma les yeux et leva le nez. Il semblait capter un message olfactif dans les airs.

– Ça va… Le maître est d'accord! annonça l'écureuil. Il retiendra les Érinyes dans ses branches suffisamment longtemps pour vous donner une très longue avance. Malheureusement, il ne pourra pas faire davantage.

– AH NON? s'emporta le garçon en faisant mine de renverser la gourde.

– PARFAAAAAAAAAAAIT! ELLES NE PASSERONT PAS! PAS DU TOUT! hurla l'écureuil, en sueur. DU CALME! DU CALME! On se calme…

– Deuxièmement, continua Amos avec fermeté, je désire être conduit à la porte du septième niveau des Enfers et y arriver sans une seule égratignure.

– Accepté! s'écria le petit animal. Ce sera également un très grand plaisir pour nous de vous voir quitter la forêt d'épines.

– Troisièmement, je veux qu'on m'explique à quoi sert la dague que Baal m'a donnée. J'ai vu les Érinyes utiliser une dague semblable pour ouvrir une porte éthérée et distordre la réalité.

– Euh… euh… hou là là! euh… hou là là! fit l'écureuil en reniflant de gauche à droite vraisemblablement pour capter un message. Il s'agit… de… effectivement, d'une dague… comment dire?… À vrai dire, j'hésite, car je n'ai aucune…

Amos fit tomber quelques gouttes sur le sol pour stimuler la mémoire du négociateur.

– ARRÊTEZ! hurla-t-il, au bord de la crise de nerfs. Très bien… je… Bon! il s'agit d'une arme très puissante aux possibilités infinies. On peut l'utiliser pour transformer ses ennemis en poussière, mais elle sert principalement à tailler des portes entre les différentes dimensions. C'est ainsi que les démons voyagent d'un endroit à un autre… mais vous ne devriez pas savoir cela et… et encore moins en posséder une… car aucune armure, même magique, ne lui résiste! De toute façon, vous ne pourrez pas l'utiliser correctement, car il faut connaître les sphères de la sorcellerie pour la manier adéquatement.

– Très bien! lança Amos, content de la réponse. Maintenant, descendez-moi d'ici et conduisez-moi à la porte du prochain niveau.

L'écureuil ordonna aux arbres de libérer le garçon. Les branches s'exécutèrent et, avec mille précautions, le déposèrent délicatement sur le sol. Les mousses et les lichens toxiques s'écartèrent et s'ouvrirent sur un chemin de pierre. En deux bonds, le négociateur rejoignit Amos:

– Si vous voulez bien me suivre, dit-il avec déférence, c'est par ici! Nous apprécierions, mon maître et moi, que vous replaciez le bouchon sur cette gourde. Est-ce trop demander?

– Oui, c'est trop demander! rétorqua sèchement Amos qui en avait plus qu'assez des Enfers. Je n'ai pas confiance en vous.

– C'est comme vous l'entendez! répondit l'écureuil avec un sourire forcé. Un accident est si vite arrivé… Soyez prudent, s'il vous plaît!

Après une courte promenade dans la forêt, ils arrivèrent devant un arbre énorme dont une large fissure déchirait le tronc.

– Voilà la porte! déclara l'animal.

– Ou peut-être aussi un piège?

– Pourtant, il faudra nous faire confiance! répondit l'écureuil. ATTENTION! DERRIÈRE!

Avant que le porteur de masques n'eût le temps de réagir, un damné bondit sur lui et tenta de lui dérober sa gourde. Le précieux contenant fut projeté dans les airs et l'eau de la fontaine de Jouvence se répandit autour d'eux.

– NOOOOOON! PAS ÇA! vociféra l'écureuil en s'éloignant pour essayer de rattraper la gourde.

« C'est ma chance, pensa Amos. Espérons qu'une seule gourde me suffira pour le reste du voyage! »

Sans plus tarder, le garçon se jeta dans la fente de l'arbre. Le petit rongeur n'avait pas menti, il s'agissait bien du passage vers le septième niveau des Enfers.

15

La réunification

Geser et Béorf attendaient le retour de Maelström depuis plusieurs semaines. Les deux béorites passaient leurs journées à scruter le ciel en espérant y apercevoir la silhouette du dragon. Et la nuit, ils se relayaient pour entretenir un feu susceptible de guider la bête jusqu'à eux.

– J'ai été stupide de le laisser partir ! se reprocha Geser en regardant les étoiles.

– Va dormir, dit Béorf en jetant quelques branches dans le feu. Je prends la relève. Cela fait deux nuits que tu veilles…

– Je suis inquiet et je n'ai aucune envie de dormir. Plus le temps passe, plus je me fais un sang d'encre. Ça vaut bien la peine de sauver un dragon de la mort, de le cacher, de le nourrir et de l'éduquer, pour finalement le laisser partir comme ça ! N'importe où ! Sans surveillance aucune !

– Il va revenir, ne t'en fais pas…

– Je te rappelle que nous avons déjà perdu Amos ! répliqua Geser. Ce garçon était au moins cent fois plus rusé que la moyenne des béorites et, pourtant, il est mort. Alors, imagine un dragon sans expérience et pas méchant pour deux sous se promenant librement dans ce monde pourri à la recherche d'une gorgone et… ! Grrrr, j'aime mieux ne pas y penser.

– Je te mentirais si je te disais que je ne suis pas torturé d'être sans nouvelles, avoua Béorf. Oh ! regarde, Geser ! Une pluie d'étoiles filantes !

– Les légendes racontent que chaque étoile est l'âme d'un guerrier viking qui monte vers Odin et qu'au jour de la fin du monde, lorsque toutes les portes du Valhalla s'ouvriront pour les laisser passer, le ciel s'illuminera de mille feux !

– Tu penses que Banry, Hulot, Rutha, Piotr, Goy, Kasso et Helmic sont parmi les invités du grand banquet éternel ? demanda Béorf.

– Je suis convaincu qu'ils sont tous là ! répondit Geser, un peu nostalgique. Mais je crois surtout que le Valhalla doit vibrer tous les soirs de leurs chansons et de leurs rires. Elles me manquent aussi beaucoup, ces fripouilles… Depuis leur départ, je me sens très seul. Heureusement que Maelström était là pour m'occuper, mais maintenant qu'il est parti… je… je… Bon! tu as raison, je vais essayer de dormir un peu!

Béorf souhaita un bon repos à Geser et demeura seul près du feu. Il pensa à la camaraderie qui unissait les béorites. C'était une affection semblable à celle qu'il partageait avec Amos, Lolya et Médousa. Cependant, c'était un peu différent avec la gorgone. Malgré sa désagréable manie de manger des insectes, il avait particulièrement aimé partager son quotidien. Médousa était une passionnée avec qui il faisait aussi bon s'amuser que passer de longs moments dans le calme et le silence. De plus, on pouvait toujours compter sur elle, n'importe quand! Mais ce que Béorf ressentait pour elle depuis le jour de leur rencontre était un sentiment plus personnel, une émotion plus complexe qui l'embarrassait parfois. Par exemple, il n'avait pas voulu être possessif, mais il avait déjà ressenti quelques pincements au cœur lorsqu'elle ne faisait pas attention à lui.

– Bah! soupira le gros garçon en ajoutant du bois dans le feu. À quoi bon penser à tout cela, puisque je l'ai perdue?… Je l'ai laissée partir sans rien dire pour la retenir, alors je ne mérite pas d'être à ses côtés, voilà tout!

Béorf se laissa tristement bercer par la douceur de la nuit. Il versa quelques larmes, puis s'allongea près du feu. Il rêva que Médousa était là, tout près de lui :

– Ça va, Béorf ? demanda-t-elle.

– Bof…, répondit le garçon. Depuis que tu es partie, rien ne va plus. Je ne suis plus le chef d'Upsgran. Je me sens seul et… et sans amis. Geser est un bon partenaire, mais il est tellement grognon…

– Mais je suis là, maintenant, Béorf.

– Oui, mais tu n'es qu'un rêve et tu t'effaceras à mon réveil, soupira l'hommanimal. Comme Amos, Lolya et Maelström, je ne te reverrai plus… Je t'aime, Médousa, et je crois que l'aven…

– BÉORF ! lança Médousa, mal à l'aise. Arrête ! Nous ne sommes pas seuls…

– Tu as raison, fit le gros garçon en souriant. Avec la lune et toutes ces étoiles.

Béorf s'éveilla et se retourna sur le dos. Il sursauta lorsqu'il aperçut les visages de Médousa, de Lolya, de Maelström et de Geser qui le regardaient avec un large sourire. Le jour était déjà levé et la lumière crue du soleil lui fit plisser les yeux.

– HOOOOOU LÀ ! HOU LÀ LÀ ! s'exclama l'hommanimal en sautant sur ses pieds. MAIS VOUS ÊTES ICI !

– Nous sommes là ! lui dit Médousa en l'embrassant sur la joue.

– MAIS… MAIS… C'EST IMPOSSIBLE! s'écria le garçon en se frottant les yeux. C'est… c'est le plus beau jour de ma vie!

– Mais pour nous aussi! affirma Lolya en se jetant dans ses bras.

Puis c'est un coup de langue de Maelström qui inonda de salive la moitié du visage de Béorf.

– Je suis content de te revoir, déclara le dragon. Nous avons fait un bon voyage!

– Et moi, fit Geser, je suis TRÈS content d'apprendre que tu me trouves grognon! Nous allons reparler de ça, jeune Bromanson!

– J'étais endormi, Geser! répliqua Béorf. Et je n'ai pas dit que tu étais grognon, j'ai dit que tu étais mignon…

– Dans ce cas, fit Geser en riant de bon cœur, ça me convient! C'est vrai que je suis mignon, non?

Un coup de tonnerre déchira soudainement la quiétude de la matinée, et de lourds nuages noirs recouvrirent le ciel en quelques secondes.

– Oh! mais qu'est-ce que c'est, père? demanda Maelström, inquiet.

– Je ne sais pas, répondit Geser en scrutant l'horizon. On dirait qu'il se prépare une tornade!

– Une tornade? répéta Béorf. Entrons vite dans la forteresse pour nous protéger!

– NON! Attendez! cria Lolya en fixant les nuages. Là, quelqu'un veut nous parler! J'entends des voix, des cris de guerre et l'appel incessant d'un cor de chasse…

Les vents de haute altitude commencèrent alors à amorcer un mouvement tourbillonnaire en déformant les nuages. La rotation s'accéléra en provoquant un cisaillement avec les vents de basse altitude pour former le cône nuageux typique des tornades.

– Mais, Lolya, protesta Béorf, on ne peut pas rester dehors! Si quelqu'un veut nous parler, qu'il s'y prenne autrement… Moi, je rentre!

– Béorf… Attends… C'est ton père! Ton père veut te parler!

Un frisson lui parcourut la colonne vertébrale. Le souffle coupé par cette révélation, Béorf se figea sur place. Médousa, Lolya, Maelström et Geser s'agglutinèrent autour de lui et regardèrent arriver le cataclysme. L'entonnoir de la tornade termina sa formation et toucha le sol en pulvérisant une partie de la côte près d'Upsgran. Un vortex serré d'une trentaine de mètres à sa base et s'élargissant vers le ciel en un cône de plusieurs lieues s'avança lentement en direction de la vieille forteresse.

– J'espère que ton père n'est pas fâché, chuchota Médousa à l'oreille de Béorf. Parce que s'il l'est, nous allons vraiment, mais vraiment passer un mauvais quart d'heure !

La gigantesque toupie de vent se rapprocha en suivant une trajectoire un peu incurvée. Puis des vents d'une force phénoménale frappèrent le petit groupe qui en perdit l'équilibre. Maelström dut même poser une patte sur l'épaule de Lolya pour l'empêcher de s'envoler.

Geser décida de se transformer en ours et planta ses longues griffes dans le sol pour bien s'y agripper. Il savait, grâce à sa vaste connaissance des phénomènes naturels, qu'une tornade entraîne souvent une brusque chute de pression qui crée une importante différence entre l'intérieur et l'extérieur d'un bâtiment. Cette soudaine dépression pouvait à tout moment provoquer une explosion de la vieille forteresse, car l'air, comprimé à l'intérieur des murs, exercerait une poussée considérable sur les structures du vieux bâtiment. La basse pression, combinée à la force du vent, allait tous les tuer si, par malheur, la forteresse explosait. Les débris leur seraient fatals !

Cependant, cette tornade n'était pas ordinaire. Elle était formée de milliers de guerriers vikings cavalcadant en compagnie de vigoureuses valkyries sur de superbes chevaux ailés, blancs comme la neige et plus impétueux que la bourrasque. On vit apparaître, diaphanes et vaporeux, les béorites qui chevauchaient à une vitesse folle en poussant des cris de guerre dont les échos rythmaient le tumulte du vent. La veille, l'armée du Valhalla avait traversé le cosmos en illuminant le ciel d'étoiles filantes; aujourd'hui, elle se préparait à entreprendre son voyage dans les Enfers. Mais avant de plonger dans le monde infernal, Évan Bromanson avait demandé à parler à son fils. Son frère Banry, chef des armées célestes, lui avait évidemment accordé ce privilège.

Une fois que la petite bande fut dans l'œil de la tornade, le spectre d'Évan Bromanson apparut. À l'exception d'une multitude de rides et d'une longue barbe, le béorite ressemblait trait pour trait à son jeune fils. Il avait la moustache et les cheveux tressés, les épaules démesurément larges et ses jambes étaient aussi massives que des troncs d'arbre. Sur son épaule scintillait une hache de guerre qui, tout comme son casque à cornes, réfléchissait la faible lumière intérieure du vortex. Il déclara d'une voix de stentor:

– Béorf, mon fils et ma fierté! Je n'ai que peu de temps pour te dire ce qui prendrait des jours entiers à t'expliquer. Pour plusieurs raisons que je ne peux énumérer, ta mère et moi avons délibérément décidé de nous laisser capturer à Bratel-la-Grande et de donner notre vie pour toi. Une simple cage de bois ne peut pas retenir un béorite en colère, et une armée de chevaliers est insuffisante pour vaincre ne serait-ce qu'une de nos rages guerrières. Rien n'arrête un béorite, surtout lorsqu'il s'agit d'un membre du clan Bromanson.

– Mais pourquoi alors, père? demanda Béorf. Pourquoi avoir…

– Écoute-moi, mon fils, l'interrompit Évan. Ce qui est fait est fait et le passé se trouve maintenant derrière nous. Ma vie a été une réussite et tu en es la preuve! Aujourd'hui marque le début de la fin du monde et tu dois être prêt à affronter les épreuves et les guerres qui embraseront la Terre. Comme dans la prophétie, le Valhalla s'est vidé de ses guerriers pour prendre d'assaut le mal et libérer ton ami Amos Daragon des Enfers.

– Que dois-je faire? fit Béorf, soulevé par l'émotion. Ordonnez, père! Je soulèverai des montagnes pour me montrer digne de votre confiance et de votre amour.

– Tu parles comme un Bromanson, mon garçon, répondit Évan en essuyant une larme. Ce que Banry n'a pas eu le temps de te dire avant de mourir et que tu dois absolument savoir se trouve dans une cave située dans la forêt d'Upsgran. L'histoire de notre famille y est résumée et tu comprendras mieux le rôle qu'il te faudra jouer dans un proche avenir. Trouve ce lieu, sous un menhir druidique, et accomplis ton destin !

– Je n'y manquerai pas, père ! Je le jure !

– Adieu, mon enfant, conclut Évan. Ta mère t'embrasse et te porte dans son cœur. Je suis si fier de toi !…

Comme par magie, la tornade perdit peu à peu de son intensité, puis s'évanouit complètement. Dans le ciel, les nuages blancs remplacèrent les nimbus noirs, et le soleil réapparut dans toute sa splendeur.

Béorf, sonné par ce qu'il venait de vivre, se secoua et dit :

– Quelle journée ! Il n'est même pas midi et j'ai retrouvé mes amis, j'ai vu le fantôme de mon père et j'ai appris qu'Amos est dans les Enfers…

– Mais est-ce bien ce qu'il a dit ? demanda Lolya, très inquiète. A-t-il bien dit qu'Amos se trouve dans les Enfers ?

– J'ai bien peur que oui, soupira Béorf.

16
Le champ de ruines

Amos atterrit au cœur d'un champ de ruines après avoir surgi d'une brèche dans le mur d'une maison à moitié détruite. En un clin d'œil, il était passé d'une fissure à une autre ; en une seconde, il avait voyagé de l'arbre de la forêt d'épines à une autre terrible réalité. Le garçon y avait laissé une gourde d'eau de la fontaine de Jouvence, mais, heureusement, il avait toujours en sa possession la seconde encore bien remplie. Il vérifia que la dague de Baal était bien attachée à sa ceinture et jeta un coup d'œil aux alentours. Le spectacle qu'il découvrit le laissa pantois.

Comme son nom l'indique, le champ de ruines, septième niveau des Enfers, était pareil à une ville assiégée, essuyant sans relâche des bombardements dont les effets étaient dévastateurs. D'énormes boules de feu explosives projetées par une multitude de catapultes tombaient continuellement sur la cité délabrée. Aux points d'impact des bombes, la température pouvait atteindre plusieurs milliers de degrés. Or, dans un rayon d'une centaine de mètres, tout ce qui s'y trouvait était instantanément réduit en cendres. Au-delà et jusqu'à quatre cents mètres au moins, les bâtiments ainsi que les damnés prenaient feu alors que ceux qui se trouvaient à proximité subissaient tout de même de graves blessures. Après quoi, pareils à des plantes dont on a coupé la tige pour leur redonner de la vigueur, de nouveaux bâtiments émergeaient lentement de terre. Chaque fois, après des bombardements intensifs, de nouveaux quartiers s'agrandissaient, de nouvelles rues apparaissaient, renouvelant ainsi la configuration de la ville.

Dans cette cité de décombres, les damnés couraient dans tous les sens pour se trouver un abri. Visiblement perturbés par l'intensité des bombardements, ils hurlaient à perdre haleine sans jamais avoir une seconde de répit. D'autres pleuraient sur leur sort en adressant des injures aux dieux et, enfin, quelques-uns aidaient parfois des malheureux coincés dans les ruines. Des dizaines de corps mutilés gisaient partout à travers les débris, mais ces victimes des bombardements renaissaient après plusieurs minutes d'agonie et recommençaient leur course perpétuelle d'un bout à l'autre de la cité. Bon nombre de damnés, munis de pelles de fortune, tentaient de se creuser des abris pour fuir l'horreur et prendre un peu de repos, mais les secousses telluriques dues aux explosions des bombes de feu détruisaient au fur et à mesure leur travail. Sans eau et sans nourriture, ils étaient constamment torturés par la faim et la soif, sans compter qu'ils ne pouvaient jamais dormir.

Dans le septième niveau des Enfers souffraient pour l'éternité les condamnés qui, en utilisant la guerre pour arriver à leurs fins, avaient commis des abus de pouvoir, violé les droits humains et envahi des territoires sous de faux prétextes. Ils avaient délibérément choisi, de leur vivant, de mentir au peuple pour le convaincre de la légitimité de leurs actions, même si celles-ci envoyaient à une mort certaine d'innocentes victimes. Les damnés de ce niveau des Enfers avaient vécu en appliquant la loi du plus fort et expiaient aujourd'hui leurs fautes en expérimentant la terreur qu'ils avaient eux-mêmes fait subir aux autres.

«Quel affreux spectacle, se dit Amos. Je dois tout de suite penser à me sortir d'ici!»

Comme il réfléchissait à un moyen de fuir ce lieu maudit, une violente explosion le projeta à quelques dizaines de mètres plus loin. Il survola deux maisons et atterrit face contre terre dans une flaque de boue.

« Effectivement, je sens que ce septième niveau ne sera pas de tout repos ! pensa le garçon en se relevant péniblement. Là ! c'est là que je dois me cacher pour réfléchir ! »

Plus loin, devant lui, une gigantesque catapulte manœuvrée par de petits démons ridés ressemblant à des bonnets-rouges lançait ses projectiles sur la ville. Amos se lança dans une course folle et plongea sous l'engin de guerre sans se faire voir.

« Ici, je serai en sécurité. Les catapultes pilonnent la ville, mais au moins elles ne s'attaquent pas entre elles. Cette cachette me donnera quelques minutes pour faire le point. »

Sans répit, la machine de guerre sous laquelle Amos s'était tapi lançait projectile sur projectile dans un vacarme diabolique. Le mécanisme du treuil grinçait dans un concert de bruits stridents et inquiétants alors que le choc constant du bras sur la traverse tonnait chaque fois de façon assourdissante. Malgré cette turbulence incroyable, Amos demeura concentré et observa la trajectoire des obus dans le ciel. Il remarqua que les engins lançaient leurs boules de feu en suivant toujours le même rythme et qu'ils ne déplaçaient que lentement l'axe de leurs tirs. Une folle idée lui traversa l'esprit.

« Je pourrais peut-être sauter de projectile en projectile ! Cela me ferait survoler la ville et me donnerait peut-être la chance d'apercevoir une porte quelconque pour sortir d'ici… Mais non ! voyons !… Je déraisonne ! Je n'ai pas les ailes de Médousa pour planer et assurer mon atterrissage. Je suis incapable de saisir au vol ces énormes boules de feu ! Quand même, je ne suis pas invincible ! »

Amos constatait l'absurdité de son plan lorsque, soudainement, il fut retiré de sa cachette par une lance qui lui transperçait l'abdomen. Un chevalier en armure noire chevauchant un superbe étalon roux aux yeux de feu venait de l'empaler. Le garçon se retrouva dans les airs, l'arme lui traversant le corps, incapable de se défendre. Sous l'apparence d'un humain d'une soixantaine d'années, cheveux longs et barbe blanche, le démon demanda :

– Es-tu Amos Daragon ?

Le porteur de masques, presque asphyxié par une hémorragie interne, ne répondit pas et se contenta de regarder machinalement autour de lui : une armée de vingt-neuf légions de chevaliers s'avançait dans la ville en ruine. Les catapultes avaient cessé leur pilonnage afin de laisser passer l'imposant cortège. Il s'agissait de démons, tous montés sur de rutilants chevaux au pelage noir scintillant de reflets bleutés. Ils portaient des brigantines de couleur bourgogne qui étaient marquées d'un sceau représentant la lame d'une hallebarde. Sur leurs têtes, des heaumes aux visières fermées ne laissaient entrevoir que des paires d'yeux rouges. Armés de marteaux de guerre aux formes excentriques, ces chevaliers de l'Enfer semblaient prêts à partir en guerre.

– Alors, c'est toi qu'ils viennent chercher? persifla le guerrier en secouant un peu Amos au bout de sa lance. J'espère que tu en vaux la peine, jeune humain! Mais laisse-moi me présenter: je suis Forcas, grand président des Enfers, et je dois partir en guerre à cause de toi. On dit qu'une armée du Valhalla galope vers les grandes portes des Enfers. Apparemment, ils désirent te libérer et te ramener dans ton univers. Malheureusement pour toi, ils n'atteindront jamais leur but, car je vais m'occuper d'eux et ils retourneront bien vite sous les jupes d'Odin. Je suis un peu déçu de te voir dans cet état... Je te croyais plus coriace!

Forcas ordonna qu'on approche une catapulte, puis, du bout de sa lance, il y déposa

Amos. Il retira ensuite son arme du corps du porteur de masques qui, baignant dans son sang, n'eut même pas la force d'essayer de fuir.

– Ce sont des amies à toi qui m'ont demandé de te récupérer! ajouta le président des Enfers dans un grand éclat de rire. Va donc les rejoindre, elles sont si impatientes de te revoir. ALLEZ! BON VENT!

Le garçon fut catapulté et plana au-dessus de la ville où, toujours en plein vol, il fut intercepté par les Érinyes, aidées de leurs fouets. Les gardiennes du Tartare l'avaient enfin retrouvé et l'entraînèrent avec elles dans le ciel.

– Si tu savais comme nous sommes contentes de te revoir! dit Mégère en riant stupidement. La prison du Tartare était bien vide sans toi!

– Mais oui! Tu es parti si vite, continua Alecto en pouffant à son tour. Tu n'as même pas eu le temps d'essayer les bains d'huile bouillante. Je jure que, cette fois, tu vas t'y tremper!

– Tu as bien négocié ton passage dans la forêt d'épines, le complimenta avec sérieux Tisiphoné, mais tu aurais dû savoir que les démons respectent rarement leurs engagements et que le maître du sixième niveau nous laisserait passer malgré la promesse qu'il t'a faite!

– Je crois que tu vas… AHHHH! fit soudainement Mégère en disparaissant.

Alors qu'elles jacassaient, les Érinyes n'avaient pas fait attention à la reprise des bombardements. Mégère venait d'être frappée de plein fouet par un projectile de feu et tombait en chute libre. Alecto et Tisiphoné se débarrassèrent immédiatement du garçon avec l'intention de le retrouver plus tard et se précipitèrent à la suite de leur sœur dans le but de la sauver. Encore une fois, Amos fit un plongeon vertigineux et s'écrasa violemment sur le sol. Il perdit connaissance.

Lorsqu'il rouvrit les yeux, le porteur de masques était en parfait état. Quelqu'un venait de lui faire boire de l'eau de sa gourde. D'après son aspect, il s'agissait d'un démon de l'armée de Forcas. Quand l'homme releva la visière de son casque, Amos reconnut Yaune le Purificateur. À l'exception de ses yeux rouges, il avait le même visage marqué par une distinctive balafre.

– Mais… mais… c'est…, balbutia le garçon, médusé.

– Oui, dit Yaune, c'est bien moi! La poule dans laquelle toi et ta copine magicienne aviez transféré mon âme, termina sa vie dans le fourneau d'un paysan. Mon esprit fut alors jugé à Braha et condamné à joindre les légions infernales de Forcas.

— Mais… je ne comprends pas…, fit Amos, un peu déboussolé. Pourquoi m'avoir sauvé la vie? Vous auriez pu me laisser croupir ici en attendant que les Érinyes me récupèrent!

— Parce que j'ai compris plusieurs choses depuis mon arrivée dans cette dimension, lui avoua Yaune. Tu mérites que quelqu'un te vienne en aide. Au cours de ma vie, j'ai été manipulé par les dieux et je suis ici par leur faute. Le seul moyen que j'ai à ma disposition pour donner une leçon à Seth et à ses acolytes est de m'assurer que tu réussisses à rétablir l'équilibre du monde, mais, surtout, à éliminer les dieux. Nous avons été des adversaires et je ne te demande pas de devenir mon ami, mais pardonne-moi les erreurs que j'ai commises et devenons, pour un instant, partenaires dans ta mission.

— D'accord, Yaune… je vous pardonne.

— Alors, partons dès maintenant! fit l'ancien seigneur de Bratel-la-Grande. Monte sur mon cheval, je te mène à la cité infernale. J'ai plusieurs secrets à te confier…

Comme Yaune et Amos allaient monter à cheval, les trois Érinyes se posèrent autour d'eux.

– Ne bougez plus! ordonna Mégère. Ce garçon est un prisonnier évadé du Tartare et c'est avec nous qu'il ira!

– Non, je ne crois pas, trancha Yaune en baissant la visière de son heaume. Forcas m'a demandé de le conduire à la cité infernale et j'obéis aux ordres!

– Désolé, mais Forcas nous a confirmé lui-même qu'il nous donnait le garçon, affirma Tisiphoné avec insistance.

– Alors, les ordres ont changé! mentit le chevalier. Si vous ne me croyez pas, vous pouvez toujours aller le déranger dans l'organisation de sa bataille contre le Valhalla. Je suis certain qu'il sera très heureux de vous recevoir…

– Euh… oui, bon…, bredouilla Alecto. Nous pourrions toujours faire cela, mais…

– Mais vous savez que le président des Enfers n'aime pas qu'on le dérange pour des problèmes qui ne le concernent pas directement, ajouta Yaune en invitant Amos à monter sur le cheval. Ce garçon est maintenant sous ma garde! Vous l'avez laissé filer du Tartare et, ensuite, vous avez prouvé votre incompétence pour l'y ramener. Votre rôle dans cette histoire est terminé. Je vous conseille vivement de vous écarter de mon chemin et de l'oublier.

– Cela ne se passera pas ainsi! répliqua Mégère en faisant claquer son fouet. Tu ne l'amèneras pas avec toi! Nous sommes trois et nous aurons vite fait de te réduire en poussière…

– Au fait, lança calmement le cavalier en grimpant sur sa monture, qui surveille le Tartare pendant votre absence? N'êtes-vous pas les gardiennes de la prison des dieux? Vous n'avez certainement pas laissé le Tartare sans gardien, n'est-ce pas?

Mégère, Alecto et Tisiphoné se regardèrent avec stupéfaction. Oh non! Effectivement, elles avaient omis de se faire remplacer pendant leur absence!

Dans un élan de panique, les trois Érinyes décollèrent comme des oiseaux effarouchés en abandonnant le chevalier et le porteur de masques.

– Accroche-toi, Amos, le prévint Yaune, le voyage sera éprouvant!

17
Vers la cité infernale

En chevauchant avec Yaune vers le huitième niveau des Enfers, Amos pensa à ce que lui avait dit Sartigan sur l'équilibre du monde. Le vieux sage avait maintes fois insisté sur l'unité qui imprègne les forces de la nature.

– Le bien et le mal sont des forces interdépendantes et ne peuvent exister l'une sans l'autre, car elles se complètent mutuellement. Ces forces opposées ne sont qu'un seul et même aspect d'une seule et même réalité. L'action de ces deux côtés règle la vie des hommes, des animaux et des plantes. Elle pénètre tous les plans d'existence de toutes les dimensions de la vie ! Il serait faux de vouloir faire le bien sans accepter le mal, car l'ordre n'existe pas sans le désordre, le ciel sans la terre et l'eau sans l'air. Le bien ou le mal ne sont finalement qu'un point de vue, c'est tout !

« Sartigan avait raison, songea Amos. Il y a de la sagesse dans le cœur d'Yaune, même s'il est devenu un démon. Je n'aurais pas pensé trouver quelqu'un qui puisse me venir en aide dans les Enfers. Et voilà que c'est mon ennemi qui me tend la main et m'apporte son secours ! »

Le chevalier interrompit les pensées d'Amos.

— Écoute bien, jeune homme ! Je dois te confier quelque chose avant que nous atteignions le huitième niveau des Enfers parce que, là-bas, nous ne pourrons plus parler.

— Et pourquoi donc ?

— Tu verras bien ! dit le chevalier sans autre explication. Bon, écoute, on dit qu'il se prépare une grande bataille dans le monde des vivants. Un affrontement définitif entre les représentants du jour et ceux de la nuit. Les créatures des ténèbres ont besoin d'un chef pour les conduire à la bataille et certains croient que tu es le guerrier qu'ils attendent.

— PARDON ? fit Amos, sidéré. Moi, diriger le mal contre le bien ?

— Il ne s'agit pas de bien ou de mal, corrigea Yaune, mais d'empêcher le meurtre gratuit de milliers d'humanoïdes qui désirent vivre. Ils ne méritent pas de mourir sous prétexte qu'ils sont différents…

Amos repensa aux paroles de Sartigan. Le bien et le mal étaient sans doute une question de point de vue, et le chevalier venait de renforcer cette notion.

– Bien sûr, continua Yaune, ces créatures incomprises sont considérées comme maléfiques par les humains parce qu'elles sont différentes. C'est d'ailleurs contre ces derniers que tu devras te battre !

– Je devrai combattre des humains ? demanda Amos, interloqué.

– C'est bien cela, jeune homme ! Il se lèvera bientôt une grande alliance d'hommes qui mettront à feu et à sang tout ce qu'ils considèrent comme nuisibles à leur conception du bien. Je sais que Seth en est le maître d'œuvre, mais j'ignore comment il va manœuvrer pour amorcer cette guerre. Alors, tu vois bien qu'une grave menace plane sur les êtres des ténèbres et ce n'est pas par hasard que Baal t'a fait cadeau de sa dague. Entre démons, nous nous serrons les coudes, car nous exécutons nous aussi les caprices des dieux !

– Mais pourquoi ne pas me faire sortir d'ici et me renvoyer dans le monde des vivants où j'accomplirai cette mission ?

– Parce que tu dois expérimenter entièrement la gamme des émotions négatives présentes en toi. Tu as déjà ressenti la solitude et le chagrin dans le grand hall de l'angoisse, puis tu as connu l'arrogant plaisir du triomphe en affrontant Cerbère. Baal t'a fait endurer l'amertume et le désœuvrement alors que, dans le Tartare, tu as connu la peur et la douleur. Les Phlégéthoniens t'ont donné la fureur du feu, et le géant de glace a subi ta rage. Tu as humilié Orobas, puis vu la haine en action dans les marais de la colère. Pour arriver à tes fins, tu as pris en otage la forêt d'épines et utilisé l'intimidation. Finalement, sous la catapulte, en proie à l'exaltation, tu as même pensé pouvoir sauter au ciel et avancer de projectile en projectile. Il te reste à voir la destruction de la nature à l'œuvre dans le huitième niveau des Enfers, puis… puis la cité infernale.

Yaune avait encore raison. Amos avait réussi à traverser toutes les épreuves grâce à ses émotions négatives. Mais, cela, le garçon l'avait bien senti dès sa première épreuve devant la porte du grand hall de l'angoisse.

– J'ai aussi ressenti beaucoup de tristesse, de nostalgie, de dégoût et de découragement, ajouta Amos. Et maintenant, j'ai énormément d'appréhension face à ce qui m'attend, car j'ignore ce que me réserve la cité infernale.

– Ce sera le dernier niveau que tu expérimenteras et tu le découvriras toi-même, dit le chevalier. Rappelle-toi seulement que tu ne dois pas boire une seule goutte du Léthé, le ruisseau de l'oubli. Tu seras tenté de le faire, mais il te faudra résister. Bon! accroche-toi bien à ma brigantine, nous arrivons à l'Achéron.

Durant toute leur conversation, Yaune avait galopé à une vitesse folle pour traverser la ville en ruine. Entre deux montagnes, il avait ensuite emprunté un passage étroit, à peine plus large que son cheval, pour déboucher dans une vaste plaine d'herbes mortes. L'Achéron, ce large fleuve terriblement pollué, où bon nombre de poissons morts flottaient entre des ronds huileux, se dévoila à leurs yeux.

– Nous devons le traverser pour atteindre l'avant-dernier niveau des Enfers! précisa Yaune.

– Quelle odeur! s'exclama le garçon. Mais qu'est-ce qui sent si mauvais?

– Les eaux de l'Achéron charrient en même temps le chagrin des vivants et les vices qui alimentent leurs passions perverses. C'est dans ses remous que sont puisées toutes les jalousies, les convoitises et les envies des vivants. Ce sont ces sentiments-là qui puent autant! Sans le savoir, c'est dans cette rivière que s'abreuvait mon âme lorsque j'étais seigneur de Bratel-la-Grande. Je regrette tellement de ne pas avoir eu l'intelligence de modérer mes ardeurs parce que je n'ai pas su chercher d'autres sources pour apaiser ma soif de pouvoir !

– Hum, bien sûr… Maintenant, comment allons-nous traverser ce fleuve ?

– Mais les démons des armées de Forcas ont des privilèges ! lança Yaune avec fierté. Regarde bien.

Comme ils s'approchaient de la berge du fleuve, un gigantesque pont de pierre en émergea.

– Wow ! s'exclama Amos. C'est extraordinaire !

Ils galopèrent un moment sur le pont puis s'arrêtèrent au centre. Yaune descendit du cheval et aida Amos à faire de même.

– Ma monture doit se reposer avant d'atteindre le huitième niveau, expliqua Yaune en caressant énergiquement son animal. Les démons repentants, comme moi, s'arrêtent souvent ici pour admirer le monde où ils ont si mal vécu. Là, regarde au-dessus de toi…

Amos leva la tête et demeura bouche bée. Le ciel était rempli de lacs et de rivières, de montagnes et de villes. On y voyait le monde des vivants à l'envers, comme si le pont avait survolé la Terre. Dans les nuages, il était possible d'apercevoir des figures rieuses d'enfants, des familles partageant un repas et une multitude d'autres scènes de la vie quotidienne.

– C'est fantastique…, dit Amos qui avait peine à croire ce qu'il voyait.

– Grandiose, oui! s'exclama le chevalier. Cela sert à torturer les démons qui, comme moi, regrettent le monde des vivants, ce véritable paradis. Nous sommes parfois des centaines à la fois sur ce pont pour contempler ce que nous avons perdu. Notre chagrin se mêle alors aux eaux de l'Achéron et notre rage en décuple le courant. Je suis prisonnier des Enfers et ne reverrai jamais les splendeurs de la nature. Il arrive souvent que des démons aperçoivent le visage des gens qu'ils ont aimés. Plusieurs de ces malheureux en perdent la tête et se lancent dans le fleuve. Ils dérivent alors jusqu'à la cité infernale.

– Mais aujourd'hui, il n'y a personne?

– Non, répondit Yaune. Toutes les légions de Forcas sont parties en guerre pour empêcher les guerriers du Valhalla de passer. Je ne suis pas avec eux parce que j'ai désobéi aux ordres afin de te venir en aide.

– C'est si beau, murmura simplement le porteur de masques, les yeux rivés au spectacle céleste.

Encore une fois, les histoires de Sartigan émergèrent des souvenirs d'Amos: il se rappela les enseignements de son maître. Le vieillard prétendait que le monde était issu d'un terrible chaos qu'avait orchestré la Dame blanche. En divisant d'un côté le temps et l'espace, puis de l'autre la lumière et la matière, celle-ci avait pu créer les éléments. De l'air, de l'eau, de la terre et du feu, elle avait fait naître, après plusieurs tentatives, la vie. Puis elle avait créé les divinités pour prendre soin des êtres qu'elle avait fait naître et pour les chérir. Malheureusement, les dieux avaient commencé à se chamailler et oublié bien vite leur mission première de protecteurs pour tenter de contrôler la vie et l'assujettir à leurs volontés.

« Mais oui ! voilà pourquoi la Dame blanche a créé les porteurs de masques, pensa Amos en admirant toujours la beauté du monde. Elle m'a donné la force des quatre éléments parce qu'ils sont les bases de la vie. J'avais déjà pressenti qu'il me faudrait anéantir les dieux pour que le monde retrouve son équilibre, mais maintenant j'en suis tout à fait certain. Par contre, ce que j'ignore, c'est la manière dont j'y arriverai ! »

– Allez, il faut reprendre notre chemin, mon garçon. La route sera difficile…, dit Yaune.

– D'accord. Savez-vous quels obstacles nous attendent ? s'informa Amos avant de boire quelques gorgées de sa gourde.

– Oui, je t'explique…, commença le chevalier. Contrairement aux autres, le huitième niveau des Enfers n'est pas peuplé d'âmes et d'esprits torturés. C'est dans celui-là que sont entreposés tous les cataclysmes dont se servent les dieux pour tourmenter le monde. Si un dieu a besoin d'un raz-de-marée ou d'un tremblement de terre, c'est là qu'il va le chercher. Des démons y fabriquent tous les jours des centaines d'orages et des milliers d'éclairs. Ils condensent dans de gigantesques machines des tonnes de lave du Phlégéthon pour faire exploser les volcans. Il y a de tout dans cet enfer des virus et des épidémies aussi bien que des invasions de sauterelles ou de cafards. C'est là qu'Enki, le dieu qui t'a condamné, s'est approvisionné pour déclencher ses plaies sur le pays de Sumer et les contrées d'Aratta. Ce niveau des Enfers forme aussi une barrière pour empêcher l'accès à la cité infernale. Je ne pense pas que tu aurais pu le traverser sans moi. As-tu des questions ?

– Oui, fit Amos. J'en ai une ! Qu'est-ce qui m'attend dans la cité infernale ?

– Quelque chose que tu n'as pas encore connu et qui te transformera complètement si tu cèdes devant ses attaques ! J'aime mieux ne pas t'en parler…

– Dites-le-moi, le supplia le garçon. Si je dois me préparer à affronter cette chose, je veux savoir au moins à quoi m'attendre !

Yaune remonta sur son cheval et aida Amos à prendre place derrière lui.

– Tu expérimenteras une destruction complète de ta personnalité, expliqua sévèrement le chevalier. Tes pensées deviendront incohérentes et ton esprit se construira une réalité bien à lui. Tu marcheras sur la mince ligne de démarcation entre le délire et la raison, et tu seras soumis à de terribles périodes d'ambivalence et à de nombreuses perturbations affectives. La cité infernale est le repaire des esprits perturbés et des maniaques. On y trouve ceux qui ont fait volontairement le mal pour acquérir honneur et gloire aussi bien que des fous morts d'amour en s'arrachant le cœur. Sache que ce que tu affronteras là-bas, ce sont tes propres démons, jeune homme ! La cité infernale est la ville des fous furieux…

Un frisson d'effroi traversa l'échine du garçon.

– Voilà pourquoi tu seras tenté de boire l'eau du Léthé ! continua le chevalier. L'eau du ruisseau de l'oubli soulage les souffrances, mais ne guérit pas le mal de l'âme. Si tu en bois, tu oublieras à jamais qui tu es et qui tu as été. Il ne te sera plus possible de revenir en arrière et tu demeureras prisonnier de tes fantasmes et de tes délires. Bref, tu seras condamné à demeurer éternellement dans la cité maudite. Voilà, Amos. Veux-tu savoir autre chose avant que nous partions? Le vacarme dans le huitième niveau des Enfers est si fort que nous ne pourrons plus nous entendre parler.

– Oui! répondit Amos avec empressement. Comment fait-on pour sortir de la cité infernale et regagner le monde des vivants?

– Je ne le sais pas, lui avoua le chevalier, car personne jusqu'ici n'a jamais réussi…

18
La tanière des Bromanson

– Je n'ai rien vu et encore rien trouvé!
s'exclama Béorf au désespoir.

L'hommanimal et ses amis exploraient la
forêt depuis bientôt une semaine afin de
trouver la tanière des Bromanson. Ils avaient
cherché sans succès le menhir dont avait
parlé Évan au moment de son apparition.
Maelström s'était épuisé à survoler la forêt
en prenant mille précautions pour ne pas se
faire voir. Le dragon avait volé du coucher
du soleil jusqu'au petit matin et s'était arraché les yeux pour tenter de déceler, du haut
des airs, un indice quelconque. De son côté,
Médousa avait elle aussi fait de gros efforts
pour venir en aide à Béorf, mais toutes ses
explorations s'étaient avérées vaines. Quant
à Lolya, elle avait essayé d'utiliser sa magie
pour connaître l'emplacement du menhir
sans toutefois réussir à le découvrir. Depuis
son aventure avec Karmakas, la nécromancienne avait perdu beaucoup de confiance en

elle et ses sorts ne fonctionnaient plus qu'une fois sur cinq. Geser Michson, qui connaissait cette forêt comme le fond de sa poche, s'était arraché les cheveux à retourner chaque pierre, à revoir chaque clairière dans ses moindres recoins et à sillonner jour et nuit ce gigantesque territoire.

– Je la connais de fond en comble, cette forêt! s'entêtait-il à répéter. J'ai été élevé dans cette forêt, je connais le nom de presque tous les animaux par cœur et je peux vous faire la généalogie de familles entières de lapins ou de souris! Et je jure sur l'âme de mes défunts parents qu'elle ne cache aucun menhir, aucun dolmen! Rien de druidique ou de magique!

Ils étaient tous les cinq rassemblés dans l'ancienne forteresse béorite et discutaient, comme tous les soirs depuis sept jours, des insuccès de leurs recherches. Au-dessus du feu bouillait un potage de racines, de champignons et d'écorce de chêne. Les compagnons d'aventures n'avaient que le mince réconfort de la cuisine de Geser pour soutenir leur moral. Les journées étaient harassantes et le repas du soir était une bénédiction attendue. Ces petits festins auxquels s'ajoutaient aussi du pain, du miel, des noix sauvages, des fruits frais et du fromage leur faisaient le plus grand bien.

– D'accord! faisons le point, dit Lolya en croquant dans une pomme.

– Passe-moi la soupe, s'il te plaît! lança Béorf, affamé.

– Des noix, Maelström? fit Médousa en lui tendant sa main.

– Non, merci, répondit le dragon. J'ai encore du mal à digérer le mouton que j'ai avalé ce matin… Merci, petite sœur!

– Bon! je crois que nos recherches…, tenta de poursuivre Lolya.

– Du potage? lui demanda Geser.

– Oui, merci…, acquiesça la nécroman-cienne.

– Attention, il est chaud! l'avertit Geser.

– HUMMM, c'est bon! exulta Béorf en ingurgitant le bouillon. On goûte bien les chanterelles et les bolets!

– Tu veux me passer le pain, Médousa?

– Voilà, Lolya! Tu veux bien approcher les pêches, Maelström?

– Avec plaisir!

– Alors, que disais-tu, Lolya? fit la gorgone.

– Je disais que si Geser ouvrait une auberge, il ferait fortune à coup sûr! répliqua la jeune Noire en riant.

– Je suis d'accord avec toi! approuva Béorf, la bouche pleine. Mais d'abord, il faudrait enlever l'avertissement qui est inscrit à l'entrée des terres des béorites !

– Quel avertissement ? demanda Médousa, intriguée.

– Celui qui est gravé sur un menhir à l'orée de la forêt, expliqua l'hommanimal. Il y est inscrit : « Upsgran – 103 âmes – Foutez le camp. » Ce n'est pas très gentil comme message de bienvenue, avouez ! Si Geser veut attirer des voyageurs à son auberge, il faudra…

– Répète ce que tu viens de dire ! s'écria la nécromancienne.

– Euh… euh…, balbutia Béorf, surpris. J'ai dit quelque chose de mal ?

– NON ! RÉPÈTE CE QUE TU VIENS DE DIRE ! s'énerva Lolya, les yeux ronds et brillants comme des pièces d'or.

– J'ai dit que… que si Geser veut attirer des…

– NON, PAS ÇA ! QU'EST-CE QUE TU AS DIT JUSTE AVANT ?

– Du calme ! ordonna le gros garçon en essayant de se concentrer sur ses dernières paroles. J'ai dit qu'il faudrait retirer l'avertissement qui est gravé à l'orée de la forêt et qui dit : « Upsgran – 103 âmes – Foutez le camp. »

– Et sur quoi est gravé cet avertissement ? demanda Lolya en souriant.

– Sur un menhir…, répéta l'hommanimal qui ne voyait rien là de très spécial.

216

À ce moment, le reste de la bande explosa de rire. La tension et la fatigue des derniers jours s'envolèrent dans un éclat de joie retentissant. Lolya se jeta dans les bras de Médousa tandis que Geser exécutait quelques pas de danse avec Maelström. Seul Béorf demeura assis, stupéfait devant cette soudaine manifestation de joie. Son bol de potage sur les genoux et un gros morceau de pain dans la bouche, le gros garçon haussa les épaules.

– Pardonnez-moi, mais… je ne comprends pas ce que vous avez! Quelqu'un veut m'expliquer, s'il vous plaît?

– Béorf! lui lança Médousa, découragée. Que faisons-nous ici depuis une semaine?

– Nous mangeons! maugréa l'hommanimal, mécontent, en replongeant du pain dans sa soupe.

– MAIS NON! NOUS CHERCHONS UN MENHIR! BÉORF! UN MENHIR! hurla presque Médousa en lui tirant une oreille.

– ET ALORS? Le seul menhir que je connaisse est celui dont je viens de vous parler! Nous avons cherché partout dans la forêt et nous n'avons rien trouvé! Je ne vois pas ce qu'il y a de drôle là-dedans! Au contraire, je trouve que nous… je trouve que… que nous… que… qu… q… LE MENHIR! NOUS AVONS TROUVÉ LE MENHIR! LE MENHIR!

— Bienvenue parmi nous! fit Maelström en lui tapant dans le dos.

— VITE! s'écria le gros garçon. Allons chercher quelques lampes à huile et rendons-nous à l'entrée de la forêt!

— TOUT DE SUITE! fit Geser en décollant comme une fusée devant le reste de la bande.

***

Évan aimait beaucoup raconter des histoires à son fils Béorf. Jadis, alors qu'ils vivaient paisiblement aux abords de Bratel-la-Grande, il lui avait parlé de la lance magique d'Odin. Cette arme d'une incomparable beauté avait le pouvoir de ne jamais manquer sa cible. Le dieu Odin avait taillé sa hampe à partir d'une branche du frêne Yggdrasil et l'avait ornée de runes magiques. Sa pointe métallique, trempée de main de maître par les nains forgerons Alfrigg, Dvalin, Berling et Grer, ceux-là mêmes qui avaient par la suite forgé le collier de Brisingamen, était d'une solidité à toute épreuve. Aucune armure ne lui résistait et l'on racontait qu'elle pouvait transpercer le roc avec aisance.

Selon la légende, cette lance extraordinaire, nommée Gungnir, avait été confiée au «peuple élu» afin qu'il la protège jusqu'au premier jour de la fin du monde. C'est à cet instant unique qu'elle devrait ressurgir dans la main d'un guerrier exceptionnel qui serait capable de mener les Vikings à leur dernière bataille. Accompagnée d'un gant de fer indispensable pour la manier correctement, cette lance deviendrait le symbole de la grande unification des Vikings.

Gungnir était là, sous les yeux exorbités de Béorf!

Auparavant, le gros garçon et ses compagnons s'étaient rendus en vitesse jusqu'au menhir de bienvenue d'Upsgran situé à l'orée de la forêt. La nuit avait passablement obscurci les lieux et c'est avec difficulté qu'ils avaient trouvé une trappe directement sous le gros rocher. Maelström, Béorf et Geser, pourtant très forts, avaient eu un mal fou à le déplacer. Geser s'était même fait un tour de reins.

C'est Béorf qui était descendu le premier en empruntant une fragile échelle de bois rongé par l'humidité. Médousa l'avait suivi de près alors que Lolya avait préféré demeurer à la surface pour faire une compresse à Geser qui, à cause de son mal de dos, se tordait de douleur. Maelström, trop volumineux pour passer dans la trappe, avait regardé descendre son frère et sa sœur avec inquiétude.

Les deux amis étaient bien vite arrivés dans cette étrange cave et avaient pris un couloir étroit qui donnait sur un escalier de pierre. Après une autre courte descente, ils étaient tombés sur une porte aux gonds rouillés qui avait refusé de s'ouvrir jusqu'à ce que Béorf la défonce sans trop de peine. De l'autre côté, ils avaient découvert une salle remplie de toiles d'araignées. Sur une petite table de bois, au centre de la pièce, trônait une lettre cachetée à la cire avec l'empreinte d'un grand « B ». Le jeune béorite avait brisé le sceau et avait demandé à Médousa d'approcher sa lampe. La lettre avait été signée par Banry :

Bonjour Béorf,

Si tu découvres cette lettre, cela veut dire que je suis mort et que je n'ai pas pu te communiquer de vive voix les secrets de notre famille. Je t'écris à la veille de partir avec Amos et toi pour l'île de Freyja et j'espère que notre voyage se déroulera de façon que tu n'aies pas à poser les yeux sur ce papier.

Tu dois d'abord savoir, mon cher neveu, que nous, les béorites, formons une race à part dans le cœur d'Odin pour nos qualités guerrières et notre grand courage, mais aussi parce que nous sommes le peuple choisi pour porter le fardeau de Gungnir. Ton père t'a probablement raconté des centaines de fois la merveilleuse histoire de la lance d'Odin, n'est-ce pas? C'est par ce conte que se transmet, de génération en génération, la vérité sur notre famille et sur sa véritable mission sur terre.

Depuis l'éveil des béorites, la famille Bromanson a été investie par le grand dieu de l'accablante tâche de garder et de protéger l'arme divine, et ce jusqu'au premier jour de la fin du monde. Évan, ton père, a quitté le village d'Upsgran après avoir perçu des signes inquiétants de cette apocalypse. Il est parti étudier pour essayer de comprendre les prophéties. Dans une de ses dernières lettres, il m'a affirmé que le Ragnarök serait bientôt là et que la race des Anciens renaîtrait sur terre. L'aventure que nous avons vécue à Ramusberget en était la preuve. Le Valhalla va bientôt se vider de ses guerriers et renverser l'équilibre du monde. J'espère que notre ami Amos sera prêt à faire face à son destin.

D'après les recherches de ton père, tu es, Béorf, le guerrier qu'attendent les Vikings pour s'unir sous un même roi. Tu es, Béorf, celui qui mènera la dernière grande guerre de ce monde et celui à qui Gungnir revient de droit. Plusieurs de tes aïeuls sont morts sous la torture sans jamais livrer le précieux secret de la relique d'Odin. Des générations de courageux béorites ont gardé la lance pour que tu puisses accomplir ton destin.

L'arme et le gant de fer se trouvent emmurés en face de toi.

Bonne chance, mon neveu.

Banry Bromanson

Brique par brique, l'hommanimal et la gorgone avaient soigneusement défait le mur et découvert la relique sacrée. Elle était bien là! La lance sacrée d'Odin, poussiéreuse et rouillée, attendait depuis des milliers d'années qu'on la délivre.

– Qu'est-ce que je fais maintenant? avait demandé nerveusement Béorf.

– Eh bien! avait répondu la gorgone, amusée, tu la prends et tu provoques la fin du monde! C'est pourtant simple, non?

– Sérieusement, je… je ne sais… je ne sais trop que faire! avait dit l'hommanimal, impressionné.

– Si j'étais toi, lui avait conseillé Médousa, je commencerais par la sortir de là et je lui donnerais un bon coup de chiffon. Tu ne vas sûrement pas unir les royaumes vikings en brandissant une lance rouillée !

– Je suppose que tu as raison…

Béorf avait avancé lentement son bras vers l'ouverture du mur et refermé sa main sur la hampe. Il avait essayé de la déplacer, mais n'y était pas parvenu. L'hommanimal avait recommencé une deuxième fois, toujours sans succès.

– Je n'y arrive pas, Médousa. Elle semble coincée et je n'ose pas trop la forcer de peur de la briser.

– S'il s'agit de la lance d'Odin, je ne pense pas qu'elle se brise aussi facilement.

– Attends, je me rappelle ! Selon la légende que mon père m'a racontée, le porteur de la lance d'Odin doit absolument revêtir un gant de fer spécialement conçu pour la manier.

– C'est vrai, Banry en fait clairement mention dans sa lettre. Il a écrit que l'arme et le gant de fer se trouvent dans le mur.

– Il est là…, avait dit Béorf en désignant l'objet.

Le gant gisait par terre, à côté de la lance, sous d'épaisses toiles d'araignées. L'hommanimal l'avait dégagé puis enfilé avec une certaine répulsion. Complètement rouillé lui aussi, le gant avait servi d'abri à des générations d'insectes, et l'intérieur était tapissé de nids d'élytres de toutes sortes et de cadavres de scarabées.

– Hummm! quelle belle soupe pour une gorgone affamée! s'était exclamée Médousa pour rigoler.

– Arrête ça! l'avait supplié Béorf avec une expression de dégoût. J'ai déjà suffisamment de peine à mettre ma main là-dedans sans t'imaginer en train d'en lécher l'intérieur.

– C'est évident! Avec ce que je mange tous les jours comme saletés, je ne suis pas le genre de fille que tu embrasserais, n'est-ce pas? avait lancé Médousa impulsivement.

– Tu es la seule et unique fille du monde que j'embrasserais, lui avait répondu Béorf sans hésitation.

Un silence rempli de promesses avait pris place entre les deux amis. Après un moment, la gorgone avait demandé timidement, dans un chuchotement:

– Alors... qu'est-ce que tu attends?

– J'attendais que tu me le demandes..., avait répondu Béorf en s'approchant doucement de son amie. C'est vraiment un grand jour aujourd'hui...

Enfin, Béorf avait pu retirer la lance du mur et, maintenant, c'est avec émotion qu'il la contemplait.

19
La cité infernale

Par moi l'on va dans la cité dolente,
Par moi l'on va dans le deuil éternel,
Par moi l'on va parmi la gent perdue.
La justice inspira mon divin artisan :
Je fus édifiée par la toute-puissance,
La suprême sagesse et l'amour souverain.
Il n'a été créé avant moi que les choses
éternelles et, moi, éternelle, je dure.
Vous qui entrez, laissez toute espérance.

Voilà ce qui était écrit à l'entrée du grand pont suspendu menant à la cité infernale. Après en avoir fait la lecture, Amos hésita longuement avant de s'y aventurer. Il demeura immobile en essayant de voir à travers l'épais brouillard dans lequel s'enfonçait la passerelle.

La traversée du huitième niveau des Enfers avait été terrible. Durant de longues heures, le démon et le porteur de masques avaient affronté d'inimaginables tempêtes. Ils avaient traversé des pluies diluviennes, des sécheresses redoutables et des orages foudroyants. Heure après heure, les voyageurs avaient subi les vents déchirants, les tornades en furie et la cuisante chaleur d'ardents feux de forêts. De nombreux volcans avaient explosé sur leur chemin, les obligeant à contourner des rivières de lave. Séismes à répétition, violentes tempêtes de grêle et bourrasques incroyables, rien ne leur avait été épargné. Malgré tout, la monture de Yaune avait tenu bon et n'avait jamais cessé de galoper. Ne connaissant ni la peur ni la fatigue, le cheval avait foncé à vive allure à travers les obstacles et était ainsi arrivé à vaincre les éléments déchaînés.

Impossible d'estimer le nombre de jours qu'avait duré la chevauchée infernale dans le huitième niveau. Amos, solidement accroché à Yaune, avait lui aussi perdu la notion du temps. Il avait maintes fois bu à sa gourde d'eau de Jouvence pour reprendre des forces. Jamais le porteur de masques n'aurait pu traverser seul ces terribles épreuves.

– Je te suis très reconnaissant, Yaune, le remercia Amos près du pont menant à la cité infernale. Grâce à toi, ainsi qu'à ton extraordinaire monture, je suis presque arrivé au terme de mon voyage.

— Tu vois, Amos, lui répondit Yaune, les démons ne sont pas tous abjects et inhumains. La plupart d'entre nous expient ici nos anciennes vies de malfrats, mais dans nos cœurs brille parfois une lumière de noblesse. J'ai compris trop tard la force de l'amitié et de l'entraide. Je suis, comme mon cheval, condamné à traverser les tempêtes de ma vie passée et à endurer sans me plaindre les douleurs de ce voyage éternel.

— Merci encore pour tout. Je n'ai que mon amitié à vous offrir en souvenir de notre dernière rencontre.

— C'est le plus beau cadeau que tu pouvais me faire, Amos. J'aurai aimé que les choses soient différentes pour nous à Bratel-la-Grande et que nous ayons pu devenir amis. Mais aujourd'hui, je regagne un peu de noblesse à tes yeux et j'en suis content. Bon… alors, bonne chance dans la cité infernale, tu en auras besoin.

— D'accord, au revoir, Yaune, et encore merci!

— Non, adieu plutôt! fit le chevalier en remontant sur son cheval. Je m'en vais rejoindre les troupes qui tenteront d'empêcher les hordes du Valhalla de passer. Ce sera une bataille sanglante!

La monture de Yaune rua et décolla comme une flèche.

Une fois seul, le porteur de masques prit le temps de lire et de relire l'écriteau à l'entrée du pont. Il ne pouvait pas revenir en arrière et ne désirait pas non plus continuer. Puis le cœur du garçon fit deux tours lorsqu'il entendit quelqu'un prononcer son nom. Dans le brouillard où s'enfonçait le pont, il avait claire-ment perçu un appel. C'était Lolya.

– Mais qu'est-ce que tu attends, Amos? Viens donc nous rejoindre! Je suis là… juste devant toi!

– Lolya! C'est toi? demanda le garçon, incrédule.

– Mais puisque je te le dis! Allez, viens! J'ai un secret à te confier…

– Mais montre-toi alors!

Amos entendit les pas de Lolya résonner sur le pont. Puis la jeune fille sortit du brouillard, mais demeura à une bonne distance de lui. Elle portait une robe de fourrure noire, et une multitude de bijoux lui ornaient les poignets, les bras, les chevilles, les oreilles et le cou. Ses cheveux rassemblés en une toque sur sa tête et tissés de filaments d'or lui donnaient un air de majesté incomparable.

– Eh bien! comme tu m'as l'air surpris, Amos! fit Lolya. Mais qu'importe, ton voyage est terminé maintenant… Viens me rejoindre! Viens!

– Ce n'est pas toi, je le sais…

– Comment peux-tu dire une chose pareille? Écoute-moi, Amos, tu dois me faire confiance… La cité infernale n'existe même pas! En réalité, ce pont mène au monde des vivants et je t'attends sur ce seuil depuis fort longtemps. Béorf et Médousa sont juste derrière! Ta mère est là aussi…

– J'ignore qui vous êtes, répliqua Amos, mais je sais que vous êtes ici pour m'attirer dans la cité!

– Es-tu devenu fou, Amos? Regarde! C'est moi! moi! MOI! Et je ne veux pas t'attirer dans la cité, je veux te sortir des Enfers… Engage-toi sur le pont, viens vers moi! Allez, vite…

Le porteur de masques refusa d'avancer et recula même d'un pas.

– Très bien, dit Lolya, déçue. Si tu ne peux avoir confiance en une amie, j'irai trouver le bonheur dans les bras d'un autre!

– Pardon? Que dis-tu? lui demanda Amos, troublé.

– Nous sommes faits l'un pour l'autre, mais tu refuses de le voir. Je brûle d'amour pour toi et me consume, jour après jour, dans l'attente que tu me remarques enfin!

Aujourd'hui, je vois bien que tu n'es qu'un égoïste, que tu ne penses qu'à toi et à ta foutue mission de porteur de masques! Tu resteras seul et abandonné, sans amour et sans attention...

– Mais non! Lolya, reste! Ne t'en va pas!

En voyant disparaître Lolya et sans en prendre conscience, Amos venait d'avancer de deux pas. Il était maintenant sur le pont!

– Je suis mort par ta faute! fit une voix derrière lui.

– Koutoubia! s'exclama Amos en se retournant. Koutoubia Ben Guéliz! Mais que fais-tu ici?

– Je suis mort à cause de toi, répéta le guide avec un regard accusateur. Par ta faute, j'ai connu le trépas!

Koutoubia avançait toujours en obligeant Amos à s'approcher de plus en plus du brouillard.

– Tu devais me protéger, lui reprocha le garçon d'Arnakech. J'avais confiance! Confiance en toi! En ta mission! En tes pouvoirs!

«Du calme, Amos..., songea le porteur de masques. Yaune t'avait prévenu! Tout ceci n'existe pas...»

– Et la mort de ton père non plus n'existe pas? dit Urban juste derrière Koutoubia.

– Père! Je ne… Ce n'est… Mais qu'est-ce…, balbutia Amos qui avait du mal à contrôler ses émotions.

– On ne t'a jamais appris à parler, fils indigne? Qu'as-tu fait pour moi à Berrion, alors que j'agonisais sur le sol? RÉPONDS! Qu'as-tu fait pour ton père? Qu'as-tu fait pour l'homme qui t'a chéri, qui t'a élevé dans l'amour et la tendresse? EH BIEN, RIEN! TU N'AS RIEN FAIT! Petit égoïste aux petits pouvoirs magiques ridicules! Comment veux-tu rétablir l'équilibre du monde alors que tu n'es même pas capable de secourir ton père? Tu me déçois… NON! Tu me répugnes, tiens…

À reculons, Amos allait toujours plus loin sur le pont et s'approchait davantage du brouillard. Le cœur serré et les larmes aux yeux, il aperçut sa mère aux côtés d'Urban.

– Merci de m'avoir laissée aux mains des Sumériens, mon enfant! déclara Frilla sur un ton sarcastique. Tu m'as privée d'un mari que j'aimais plus que tout au monde et tu m'as envoyée pourrir dans le fond d'une cage. Voilà toute la reconnaissance que tu as pour tes parents? Je n'ai jamais voulu d'enfant, mais ton père a tellement insisté! Je n'aurais jamais dû l'écouter… Si j'avais su la honte que tu allais être plus tard, je… je… JE TE DÉTESTE!

JE TE RENIE, FRUIT CORROMPU DE MES ENTRAILLES!

«Non..., se dit Amos en essuyant ses larmes. Rien de tout cela n'existe... Tout est mensonge!»

– UN MENSONGE, HEIN? s'exclama soudainement la Dame blanche qui flottait au-dessus de lui. Tu as tout raté! J'avais confiance en toi, mais tu t'es montré indigne d'un tel honneur. Tu n'as rien fait pour rétablir l'équilibre du monde! RIEN! Maintenant, c'est terminé! Je te retire tes masques de puissance et te condamne à vivre ici, dans le brouillard de tes échecs.

Amos voulut anéantir l'apparition en tentant de lui lancer une boule de feu, mais il en fut incapable. Il n'avait plus de pouvoirs! Donc, tout ceci était-il bien réel?

À ce moment, des dizaines de bras émergèrent du brouillard et agrippèrent vigoureusement le garçon. Il sursauta et voulut se défendre, mais ce fut en vain!

– NON! hurla Amos en disparaissant dans la brume. JE NE VEUX PAS, NOOOON!

***

La cité infernale accueillait une multitude d'esprits troublés. On y retrouvait l'essence de vie des assassins qui avaient tué par plaisir, des violents au caractère impulsif et des blasphémateurs enragés. Dans la capitale des Enfers, là où le brouillard ne se levait jamais, couraient les ruffians et les séducteurs, les flatteurs et les adulateurs, les simoniaques, les hypocrites et les voleurs. Chacun, confronté à sa propre conscience, hurlait jour et nuit en se frappant la tête contre les murs. Cris d'agonie et lamentations de détresse, telle était l'ambiance de ce lieu effrayant. Lentement, leurs âmes se consumaient peu à peu en les brûlant de contrition.

« C'est ma faute ! Tout cela est à cause de moi ! répétait sans cesse Amos en errant dans la cité. J'ai provoqué tant de morts et tant de désordre que je mérite ce qui m'arrive. J'ai trahi mes parents et mes amis ! »

Dans la capitale des Enfers, il n'y avait pas d'habitations, mais des temples, que des temples ! Toutes les religions y étaient représentées. Des divinités barbares aux nouvelles idoles à la mode, chaque dieu était présent. Les lieux sacrés se différenciaient les uns des autres par leur architecture et leurs rituels. Des prêtres démoniaques officiaient de somptueuses cérémonies de pardon où les fidèles se lamentaient. Dans les rues, l'agitation était constante et l'omniprésence des damnés en crise rendait dément.

C'est avec ces fous qu'Amos se faisait entraîner d'une messe à une autre. Il courait parmi le flot des fidèles et hurlait lui aussi des prières pleines d'inepties destinées à des divinités obscures.

Le porteur de masques avait fini par perdre complètement la tête. Il ressemblait à un jeune veau malmené par des taureaux en furie. Les cheveux en broussaille, le nez morveux et la bouche en sang, Amos avait perdu toute dignité. Le remords d'avoir abandonné son père, condamné sa mère, perdu ses amis et trahi la Dame blanche lui avait déchiré l'âme. Malgré les avertissements que lui avaient donnés Baal et Yaune, le jeune garçon s'était perdu dans les méandres de sa honte. Il lui aurait suffi de boire un peu d'eau de la fontaine de Jouvence pour se ressaisir et trouver la sortie de ce lieu maudit, mais il était trop tard. Bien que la gourde pendît à sa ceinture, il en avait oublié l'existence.

« Il n'y a plus de solution… plus de solution… plus de solution…, avait répété sans cesse Amos avant de sombrer dans le délire. J'ai montré aux autres une image de moi inférieure à celle que je m'étais construite… Plus de solution… Je ne peux pas changer le passé et agir autrement… Pas de solution… Mon père me déteste… C'est ma faute… Mais… plus de solution… »

Durant les diverses cérémonies, les prêtres démoniaques choisissaient toujours quelques fidèles afin de leur faire boire l'eau sacrée du Léthé, le ruisseau de l'oubli. Après cela, les damnés élus étaient immédiatement libérés de leurs souffrances mais, toujours aussi égarés, ils erraient ensuite comme des loques dans la cité. Amos en avait croisé plusieurs qui, le regard absent, souriaient bêtement. Déjà, il avait de nombreuses fois envié leur sort et espérait, comme tous les autres souffrants, être bientôt délivré de ses peines.

– MOUAH! MOUAH! hurlait Amos à l'instar de la foule de pénitents qui tendaient les bras vers le prêtre. J'AI MAL! JE VOUS EN SUPPLIE! Donnez-moi à boire… JE VEUX TOUT OUBLIER!

– Alors! tu veux oublier, jeune homme? lui demanda le prêtre.

Le prêtre au long chapeau pointu tapissé de motifs lunaires jaunes fit quelques pas en direction d'Amos. Il leva au ciel une petite fiole et hurla:

– VOICI LE REMÈDE QUI GUÉRIT TOUTES LES BLESSURES DE L'ÂME! TU EN VEUX?

– Oui… Oui, j'en veux… s'il vous plaît, supplia le porteur de masques.

– Et que désires-tu si vivement rayer de ta mémoire ?

– Je suis un fils parricide ! confessa Amos, toujours très déstabilisé. J'ai aussi vendu ma mère comme esclave à des barbares, et c'est aussi ma faute si Enki a envoyé ses plaies sur la Terre… Je suis coupable de tout ! Demandez à la Dame blanche ! Elle vous le dira ! J'ai manqué à ma tâche, j'ai trompé sa confiance… À boire… à boire…

– Je crois que tu mérites, en effet, de recevoir en toi le grand néant ! déclara le prêtre dans une explosion de rire. LE VIDE ! Le Grand Vide… Le Néant suuuuuuuuuuuprême ! APPROCHE, JEUNE HOMME !

Amos tomba à genoux et c'est à quatre pattes qu'il avança jusqu'au prêtre. Le pauvre garçon faisait pitié à voir. Lui qui jadis avait été si vigoureux et vif d'esprit n'était plus maintenant que l'ombre de lui-même. Comme il ne s'était pas nourri depuis des semaines, il n'avait même plus la force de lutter. Ses jambes avaient du mal à le porter et d'incessants maux de tête lui labouraient le crâne. La folie avait peu à peu rongé son âme, et l'espoir de sortir de la cité maudite s'était évanoui à jamais.

– Viens plus près de moi, jeune pénitent ! TU ES MON ÉLU ! lança le prêtre sous les lamentations de la foule envieuse. Tu vas boire l'eau du Léthé et tes souffrances s'apaiseront à jamais! Ouvre la bouche que je verse sur ton âme la goutte qui te libérera du mal.

Comme un chien savant devant son dresseur, Amos se redressa et, agenouillé devant le prêtre, ouvrit grande la bouche. Le prêtre déboucha sa petite fiole et l'éleva au-dessus d'Amos. Il laissa tomber une seule goutte d'eau.

Amos avait sorti la langue afin de récupérer le précieux liquide. Mais, venant de nulle part, une flèche vint intercepter la goutte juste avant qu'elle n'entre en contact avec la langue du garçon. La seconde suivante, c'est un coup de hache qui fendit la tête du prêtre. Puis on entendit un cor de guerre résonner, et une lumière aveuglante envahit la cité infernale. Une voix tonitruante retentit alors:

– Allez, petit! Le voyage a assez duré! Nous te ramenons à la maison!

20
Les ravages du Valhalla

Chacun sait maintenant qu'il existait plusieurs façons d'entrer dans les Enfers, mais très peu pour en sortir. Pour accéder à son premier niveau sans passer par Braha, la grande cité des morts, le chemin le plus simple consistait à emprunter la grande porte située dans le petit pays d'Ixion. Cette entrée, lourdement gardée de l'intérieur par une armée de démons, ne s'ouvrait en vérité qu'en de très rares occasions.

– Tu as entendu? demanda un démon à son compagnon.

– Entendu quoi? s'impatienta l'autre. Je te rappelle que c'est à toi de distribuer les cartes.

– Je crois qu'on vient de frapper à la porte!

– MAIS NON! cria un autre joueur autour de la table. LES CARTES!

– Jamais personne ne frappe à cette porte, dit un quatrième joueur. Je sens que ma chance va bientôt revenir! Allez, vite! les cartes!

Trois coups résonnèrent alors avec puissance dans le hall des Enfers. Les quatre démons bondirent de leur siège.

– Je vous l'avais dit! s'écria le démon en laissant tomber le paquet de cartes.

– Qu'est-ce qu'on fait? demanda son compagnon, stupéfait. Je vais avertir les autres, non?

– Non! Restez tous là! maugréa le plus courageux des quatre. Je vais aller voir! Ce ne doit être que le vent!

Le démon se rendit à la porte, ouvrit le judas et regarda à l'extérieur. Il tressaillit en croisant le regard d'un énorme guerrier à la barbe longue qui portait un casque orné d'ailes de corbeau.

– Excusez-moi, dit le guerrier, est-ce que c'est bien ici, la porte des Enfers?

– Mais qui êtes-vous donc? lança le démon en s'éclaircissant la voix. Et puis, allez-vous-en, vous n'avez rien à faire ici!

– Je m'appelle Piotr le Géant et j'aimerais savoir s'il s'agit bien de la porte des Enfers.

– Qu'est-ce que c'est? demanda un démon assis à la table, plus loin.

– Un idiot qui demande si c'est bien ici la porte des Enfers!

– Alors, réponds-lui vite et reviens t'asseoir! s'énerva un autre en ramassant les cartes par terre. Je sens que la chance va bientôt tourner en ma faveur! Finissons cette partie!

– Oui, c'est ici, confirma le démon à travers le judas. C'est bien la porte des Enfers ! Maintenant, au revoir !

– C'EST LA BONNE PORTE ! hurla le béorite en se retournant. ALLONS-Y !

– Allons-y ?! répéta le démon, perplexe.

– Oui, allons-y !

Dans un séisme qui fit trembler le sol à des lieues à la ronde, l'armée du Valhalla chargea le portail. Malgré sa taille et sa solidité, la grande porte vola en éclats dans une explosion de brindilles de bois. La tornade viking pénétra à toute vitesse dans le hall et neutralisa en un rien de temps l'armée de démons. À lui seul, Alré en découpa cinq au passage alors qu'Helmic en étrangla autant à mains nues.

– CE N'EST QU'UN HORS-D'ŒUVRE ! QU'UN SIMPLE HORS-D'ŒUVRE ! hurla Piotr, déjà en manque d'ennemis.

Banry en tête, les troupes du Valhalla entreprirent leur descente vers le Styx.

Chevauchant leurs pégases, les guerriers d'Odin survolèrent la rivière où ils croisèrent le bateau de Charon, mais ils ne s'en soucièrent pas. Ils foncèrent directement vers Cerbère, le redoutable gardien.

Lorsque le monstre se rendit compte qu'il avait de la visite, il était déjà sur le dos, ses trois gueules bâillonnées et les pattes attachées comme un veau. Cerbère n'avait pas eu une seconde pour réagir et il était déjà hors d'état de nuire. Banry dégaina son épée et, de sa monture, sauta brutalement sur le ventre du gardien.

– Je n'ai pas le temps de répondre à des énigmes, mon gros toutou ! Le deuxième niveau des Enfers, c'est à droite ou à gauche ?

Devant la dureté de la question, mais surtout à cause de la délicate situation dans laquelle le monstre se trouvait, ses trois têtes liées indiquèrent ensemble à Banry la voie à suivre. Sans le remercier, le béorite remonta aussitôt en selle sur son cheval volant.

– PAR ICI ! cria-t-il à son armée avant de disparaître dans une tempête de sable.

L'armée de Forcas, le président des Enfers, attendait les Vikings dans le désert de Baal. Ses légions s'étaient postées au deuxième niveau avec la ferme intention de bloquer la progression des guerriers d'Odin. Le démon aurait aimé les intercepter bien avant, mais il avait manqué de temps.

La secousse que produisit le face-à-face des deux armées fit trembler l'univers. De la plus grande étoile du cosmos au plus minuscule grain de sable de la Terre, l'onde de choc se répandit comme un nouveau big bang. Dans l'histoire du monde, c'était la première fois que les pôles négatifs et les pôles positifs s'affrontaient aussi directement. Cette rencontre provoqua dans le monde des vivants plusieurs grands bouleversements naturels qui furent tous interprétés, malgré les différences de cultures et la diversité des croyances religieuses, comme des signes avant-coureurs de la fin des temps.

Sur le champ de bataille, les béorites d'Upsgran jubilaient de plaisir. Alré faisait virevolter sa hache à la manière des pales d'un moulin dans une tempête pendant que Piotr hurlait en massacrant ses adversaires :

– CE N'EST QU'UNE PETITE ENTRÉE ! QU'UNE PETITE ENTRÉE !

Kasso, toujours à dos de pégase, faisait mouche à chacune de ses flèches alors que Rutha et Helmic se disputaient le même adversaire. Goy, excité par le combat, avait perdu la tête et frappait n'importe où et n'importe comment. Son style n'était pas très soigné, mais ô combien efficace ! Hulot, quant à lui, volait haut sur son cheval, bien au-dessus de la mêlée, mais encourageait ses amis en applaudissant et en poussant de timides bravos pour éviter de se faire remarquer.

Les armées de Forcas, bien qu'en surnombre, furent vite débordées. La panique gagna les rangs des démons et ce fut la débandade. Baal lança alors ses propres légions dans la bataille afin de résister au flot de Vikings enragés, mais ses démons battirent en retraite dès les premiers instants du combat. Les soldats des ténèbres étaient nombreux, mais peu courageux. Évidemment, dans les Enfers, ils n'avaient pas développé les qualités nécessaires à tout bon guerrier pour affronter l'adversité et réussir l'impossible. Au contraire, ils possédaient davantage de faiblesses que de forces et préféraient passer leur temps à jouer aux cartes au lieu de s'entraîner.

Baal comprit rapidement qu'il ne pourrait rien contre les guerriers du Valhalla et il leur céda le passage vers le troisième niveau des Enfers. D'ailleurs, le grand démon avait tout avantage à les laisser passer, puisqu'ils venaient chercher Amos Daragon et que celui-ci portait avec lui la dague qu'il lui avait confiée.

Banry mena donc son armée devant les murs du Tartare. Confrontées à une force aussi impressionnante, les Érinyes demeurèrent cachées et les laissèrent se frayer un passage en démolissant une large partie du mur. Les troupes du Valhalla détruisirent tout à l'intérieur de la prison des dieux. Elles libérèrent les condamnés de leurs chaînes et réduisirent en cendres toutes les machines de torture. Elles pratiquèrent ensuite une autre ouverture de l'autre côté du Tartare et poursuivirent leur chemin.

Après avoir survolé le Phlégéthon, Banry et ses guerriers prirent d'assaut la forteresse de glace. À leur grande surprise, ils la trouvèrent déserte. Orobas, qui connaissait l'avenir et savait qu'il ne vaincrait jamais une telle horde de combattants furieux, s'était enfui. En suivant les indications que le démon avait laissées dans son donjon, les Vikings dénichèrent rapidement le passage des marais de la colère.

Leur arrivée au sixième niveau des Enfers provoqua des lézardes dans le gigantesque barrage qui commença à déverser des tonnes de litres d'eau dans la forêt d'épines, au niveau suivant. Après les problèmes qu'avait causés l'eau de la fontaine de Jouvence, le déluge fut catastrophique, mais cela n'empêcha pas les troupes du Valhalla d'avancer sans remords vers le champ de ruines.

Toutes les catapultes du septième niveau des Enfers furent renversées et les démons qui les manœuvraient, lancés dans le puant Achéron. Puis, dans un ultime effort, Banry et son armée traversèrent rapidement le huitième niveau et arrivèrent enfin à la cité infernale.

– IL EST ICI ! hurla Banry en survolant la cité.

Amos, à genoux et la bouche ouverte, se préparait à recevoir une goutte du Léthé, le ruisseau de l'oubli. Les béorites étaient encore trop loin pour sauver le garçon de sa mauvaise posture. Ils devaient agir immédiatement ou tout serait terminé pour lui.

– KASSO! hurla Banry. VISE LA GOUTTE! LA GOUTTE!

Comprenant l'urgence de la situation, l'archer obéit immédiatement et, avec une précision digne d'un grand maître, il décocha sa flèche directement sur la cible.

Dans un rayon de lumière aveuglante, les béorites descendirent alors des cieux pour récupérer Amos. Alré découpa le prêtre en deux, puis Banry lança de sa voix de stentor:

– Allez, petit! Le voyage a assez duré! Nous te ramenons à la maison!

Amos allait enfin revoir le monde des vivants.

Lexique mythologique

LES DÉMONS

Baal : D'origine phénicienne, cette ancienne divinité était souvent assimilée à Seth et à Montou dans la mythologie égyptienne. Son culte fut célébré trois mille ans avant Jésus-Christ et jusqu'à l'époque romaine. On le trouvait majoritairement dans les zones peuplées par les Sémites et son nom était souvent accompagné d'un qualificatif tel que Baal Marcodés, dieu des Danses sacrées ; Baal Shamen, dieu du Ciel ; Baal Bek, le Baal solaire ; et, surtout, Baal Hammon, le terrible dieu des Carthaginois.

Cerbère : Dans la mythologie grecque, il était le fils de Typhon et d'Échidna. Ce puissant chien à trois têtes et à la queue de dragon avait pour tâche de garder la porte des Enfers. Il fut vaincu à plusieurs reprises, notamment par Orphée venu chercher son épouse Eurydice, par Hercule qui voulut le ramener au roi Eurysthée, par Psyché grâce à un rameau d'or et, finalement, par Ulysse qui désirait interroger l'aveugle Tirésias.

Charon: Dans la mythologie grecque, Charon avait pour rôle de faire passer les ombres errantes des défunts d'une rive à l'autre du Styx. Appelé « le nocher des Enfers », il exigeait toujours paiement pour ses services.

Érinyes: Ces terribles créatures naquirent des gouttes de sang d'Ouranos. Elles étaient des forces primitives qui, dans la mythologie grecque, ne reconnaissaient pas l'autorité des dieux. On les représente souvent comme des génies ailés aux cheveux entremêlés de serpents, armés de torches et de fouets. Au nombre de trois, Alecto, Tisiphoné et Mégère, leur tâche consistait à châtier les damnés coupables de crime contre la famille et l'ordre social.

Forcas: Ce vieux chevalier des Enfers donnait à ses adorateurs le pouvoir d'invisibilité. Il aidait aussi ceux qui le priaient avec ferveur à trouver des trésors.

Orobas: Ce démon connaissait tout sur le passé, le présent et l'avenir. Il aidait ses fidèles à découvrir les mensonges d'autrui et à les venger de cette offense.

Phlégéthoniens: Ils n'existent nulle part ailleurs que dans l'esprit de l'auteur.

LES CRÉATURES MYTHOLOGIQUES

Géant de glace: Dans l'univers des peuples nordiques, les géants de glace ont été conçus bien avant les dieux par Ymir, celui qui est apparu le premier lors de la fonte des neiges éternelles. On raconte que de la sueur de ses aisselles sont nés un mâle et une femelle. C'est ainsi qu'ont vu le jour les premiers de la race des géants.

Golem: Ce personnage tire son origine des légendes juives du xvie siècle dans le ghetto de Prague. Le rabbin Loeb aurait voulu créer un serviteur capable de défendre la communauté contre d'éventuels agresseurs et se serait fait lui-même tuer par la masse du Golem, sa création. Mary Shelley s'est inspirée de cette légende pour écrire Frankenstein.

Phénix: Ce personnage serait, selon Plutarque et Hérodote, d'origine éthiopienne. Les Égyptiens le nommaient Bénou et associaient son pouvoir de renaître aux cycles de la mort et de la résurrection présents dans la nature. Il demeura un symbole puissant des maîtres alchimistes du Moyen Âge.

LIEUX FANTASTIQUES

La fontaine de Jouvence: Les Indiens boriqueno parlèrent à Juan Ponce de Leon, l'un des Espagnols qui fit le voyage en Amérique avec Christophe Colomb, d'une île nommée Bimini située loin au large, bien au-delà du couchant. C'est à cet endroit que se trouvait, selon la légende, une fontaine aux eaux magiques propres à donner l'immortalité à quiconque y tremperait les lèvres. Après avoir consacré sa vie à sa recherche, Juan Ponce de Leon mourut bredouille à Cuba, après avoir été blessé dans une escarmouche.

Les Enfers: Dans la mythologie grecque, les Enfers étaient le royaume des morts. On y accédait en traversant l'Achéron, le Léthé, le Styx, le Phlégéthon et le Cocyte. Selon les légendes, il était possible d'accéder aux Enfers depuis le monde des vivants par les portes se trouvant dans le pays d'Averne, du Ténara ou dans les contrées des Cimmériens. Le grand poète italien Dante s'est inspiré des Enfers pour écrire la Divine Comédie, considérée comme l'un des plus grands chefs-d'œuvre de la littérature.